Please take a look at Miss Yamamoto's strong life as she l[...]
her life to the fullest even in a death game.

デスゲームに巻き込まれた山本さん、気ままにゲームバランスを崩壊させる

YAMAMOTO san is Breaking Balance of Death Game

ぽち [AUTHOR] POCHI

Illustration
久賀フーナ

Life is Adventure

序章

▼レイドボス『フレアケーブイール』戦にエントリーしました。
▼エントリー数　41／50
▼特殊戦闘のため、レシオを決定してください。
▼余剰レシオが存在しなかったため、あなたはレシオ1で設定されました。

「暑ぅ……って、なんか出た」

ぼうぼうと燃え盛る炎の草に、熱した鉄のようにオレンジ色をした岩や壁。活火山の火口をグルンと回転させて横にしたような洞窟を歩くという行為は、まさに焼き肉の気持ちを深く考えさせてくれるかのようだ。

「いや、ヤマちゃんは熱くないやろ？　ちゅうか、ワイの上に乗っかって移動していて熱いワケがあらへんやんけ。むしろ、地面に接してニョロニョロしとるワイの方がアッツい思うで？」

私のお尻の下で全長二十メートルにもなろうかという巨大な蛇……いや、龍であるタツさんがぶつくさと文句を言っている。

なので、私はタツさんのゴツゴツとした頭の鱗《うろこ》を片手でペシペシと叩《たた》いて返す。

「何言ってんのさ。こんな美少女のお尻を頭に乗せてダンジョンを進めるなんて、役得以外の何物でもないでしょうに。文句言わないの」

同行しているメンバーの何人かが「お尻⁉」と反応を示すけど、タツさんとしては涼しい顔だ。全く動じていない。

「リアルやったらえぇんやけどなぁ。ゲームの中やしなぁ。アバターやしなぁ」

どうやらガッカリ感満載であると言いたいらしい。

というか、アバターじゃなきゃ、こんな危険そうな摂氏数百度の洞窟になんて来てないし、タツさんの頭に薄い布何枚か挟んだだけで体育座りなんてしてないからね？

そこはアバターならではってところだよ。

「ちゅうか、なんか来たで」

「なんか来たね」

私たちが進む先、そこから何人かのプレイヤーが駆けてくるのが見える。息せき切って駆けてきたかと思ったら、タツさんを見て慌てて剣を抜くプレイヤーたち。

うん、気持ちはわかる。

「うわぁ！　こっちにもモンスターが出たぞ！」

「アホか！　ワイも同じプレイヤーや！」

る。

「え？　あ、そ、そうか。すまない。――じゃない！」

　剣は収めたものの、そのプレイヤーたちは決死の形相で背後を振り返り、そしてまた向き直
「アンタらも逃げた方がいいぞ！　バカがレシオを抱えて落ちやがった！」

　なにその、『シューティングゲームでボムを抱え落ちした』みたいな表現？　ちょっと好き。

「レシオを抱えて落ちるやと？」

「あんたらもレイド戦のフィールドに入った時に見ただろう？　このレイド戦ではレシオ制が導入されているんだ！　ボスのフレアケーブイールのレシオは五十。対するプレイヤーたちにも五十のレシオが用意されていて、それをプレイヤー間で話し合って、上手《うま》く割り振ってステータスを強化して戦うのが、このレイドボス戦の醍醐味《だいごみ》だ！　だが、功を焦《あせ》ったバカが五十しかないレシオの三十を自分に割り振って……しかも、死にやがった！」

　死にやがった、の声が少しだけ重くなる。

　このゲームでは、その言葉の持つ意味がとてつもなく重い。

　私の顔も思わず強張《こわば》る。

「レイドボス戦に参加していたパーティーは動揺してガタガタになって、あっという間にフレアケーブイールに各個撃破され始めた！　とてもじゃないが、今回のレイドボス戦は勝てる戦いじゃない！　今から行っても無駄死にするだけだ！　逃げた方が賢明だぞ！」

なるほど。レシオ制の戦いは過去にやったことがあるけど、通常のステータスがレシオ数に合わせて強化される仕組みだ。

例えば、通常時の物攻が十だったとして、レシオが五十なら、五十倍の五百が戦闘時の物攻になる。フレアケーブイールの通常時のステータスがどのくらいかは知らないけど、レシオ五十を前提にレイドボスとして設定されているなら、レシオ五十といってもそこまで強くはないんじゃないかな？

「ちなみに、フレアケーブイールの通常時のステータスってわかる？」

「ん？　どこからか声が……」

「龍の頭の上だよ」

「あぁ、そこにいるのか……。一応、姿も見えないアンタに言っておく。フレアケーブイールの通常時のステータスは全てのパラメーターが百前後だ。つまり、現在のパラメーターはレシオも考慮すると五千前後ということになる。このタイミングで戦闘フィールドに参加したということは、アンタのレシオは1だろ？　つまり、素のステータスで相手の五千とかいうバカげたステータスに肉薄できなきゃ、勝ち目なんてありゃしないってことだ。無謀な戦いはやめた方がいいぞ」

一流のプレイヤーの証《あかし》とされるA級冒険者のステータスは得意分野のパラメーターでも二百前後でしかない。フレアケーブイールのパラメーターが五千前後だとしたら、二百前後のパラメーターなんて塵芥《じんかい》にも等しいということになる。

そりゃ、逃げることを勧めるのが普通だよね。

「情報ありがとね。じゃ、タツさん行こっか？」

「せやな」

「待て！　俺の話を聞いていたか⁉　相手のステータスは五千を超えて――」

親切なプレイヤーさんの言葉を遮って、タツさんが動き出す。

あのまま話を聞いていたら、いつまで経《た》っても終わらないと思ったんだろうね。ズリズリと地面を這《は》い、やがてオレンジ色の洞窟の奥へと辿《たど》り着《つ》く。そこには、粘度の高いマグマ溜《だ》まりから顔を出す巨大な蛇――いや、あれはどう見ても鰻《うなぎ》だね。しかも、頭が八つもある。ヤツメウナギならぬ、ヤツアタマウナギ。もしくは、ヤマタノウナギの姿がそこにあった。

「じゅる……美味《おい》しそう……」

今言ったのは誰？　ミサキちゃん？　気持ちはわかるけど落ち着いて？

「生の鰻《うなぎ》の血には毒があるから、刺身よりもちゃんと捌《さば》いて蒲焼《かばや》きにした方がいいぞ」

そして、ツナさんも余計な知識でフォローしない！

「おい、バカ！　やめとけ！　死ぬだけだぞ！」

あ、さっきの親切な冒険者さんもついてきちゃった。

タツさんの足元で「逃げろー！」とか叫んでいるけど、タツさんは完全に無視。

むしろ、やる気を漲《みなぎ》らせているぐらいだ。

「おっしゃ、挨拶代わりにいっちょやったるか！【スプレッドボム】×7、発動や！」

そう言うタツさんの目の前に複雑な紋様の魔法陣が複数展開されると、それが一瞬でひとつに集束して巨大な魔法陣へと姿を変える。タツさんお得意の魔法の完全同時《かさねあわせ》発動だ。開戦の口火を切るようにして、巨大な炎の球がフレアケーブイール目掛けて高速で射出される。

そして、避ける素振りも見せなかったフレアケーブイールに炎の球が直撃したと同時に、炎の球はその場で弾《はじ》け、フレアケーブイールの胴体を巻き込んで連鎖的な大爆発を巻き起こす。

まるで空中から爆弾でもばら撒《ま》いたかのような連鎖的な爆発は白の輝きを断続的に周囲にばら撒《ま》き、私たちの網膜を優しくない光で焼いてくれた。うおっまぶし。

「なんだ、今の魔法は!? 爆風と閃光《せんこう》で目が開けられん！」

並のモンスターなら、この一撃で粉微塵《こなみじん》に吹き飛んでいるはずなんだけど……。

「やはり、レシオ五十相手には無理なのか……」

親切なプレイヤーさんが呟《つぶや》いたように、フレアケーブイールは痛痒《つうよう》を全く感じさせない様子でマグマ溜《だ》まりの中から、こちらをじっと睨《にら》んでいた。いきなり爆発させられたから驚いているのかもしれない。

「ま、こんなもんやろな」

「全然ダメージが入ってないぞ！」

「当たり前や！　今のワイは進化したてのレベル1のヨチヨチ赤ちゃんやぞ！　しかも、耐性持ってそうな【炎魔法】をぶっ放して、一撃で倒せたら鼻血出るわ！」

「そこまでわかっていて、なぜ攻撃をする!?」

「戦闘参加することで経験値欲しかったからに決まっとるやろが！」

「そういうことなら、僕たちも」

「参加せざるを得ない」

続いてタツさんの頭から飛び降りたのは、硬質な筋肉の鎧《よろい》で生成されたクリーチャーと、重量感たっぷりの全身鎧《ぜんしんよろい》を身に着けた黒騎士であった。硬質な筋肉の鎧《よろい》を纏《まと》ったクリーチャーからは純朴そうな少年の声が聞こえ、黒騎士の方からはどこか気だるげな少女の声が聞こえる。見た目と中身のギャップが凄《すご》いのもアバターならではといったところだ。

その二人がズシンズシンと重さを感じさせる着地音を響かせながら大地に立つ。

誰もがその光景を見て、重量系のパワータイプが出てきたぞと思ったことだろう。

けど、動き始めたら、あら不思議。軽戦士もかくやと思わせるような軽やかな動きで地面を疾駆していく。

「あの二人は見た目とステータスの振り方が合っていないから混乱するな」

ツナさんがそう呟《つぶや》くけど、フレアケーブイールはそうでもないみたい。向かってくる二人を敵と認識したらしく、タツさんとどっこいどっこいの巨体をくねらせて、二人目掛けて突進してくる。

だが、それをクリーチャーは正面から盾で弾《はじ》き返《かえ》し、黒騎士は二メートルもありそうな巨大な剣で同じく真っ向から叩《たた》き返《かえ》す。多分、【パリィ】が成功したんだと思うけど、二人共あの巨体を相手に一歩も引かずによくやるよ。そのまま、一気に攻勢に転じて首二本を押し返しているところなんか流石《さすが》だね。

「むぅ、攻撃が重い……」

「というか、近いと炎の継続ダメージが入ってなかなか厄介ですよ、コイツ！」

文句を言いつつも巨大な敵のヘイトを引いて、こちらに攻撃を通さない動きもお見事。

とはいえ、所詮は八本の頭の内の二本の注意を引いただけにすぎない。

残りの六本の頭の内の二本は、その口を大きく開きブレスを吐こうとして――、

「カァカァカァ！」

「⁉」

突如として襲来した烏《からす》の群れに視界を塞がれて、そのブレスの狙いが大きく外れたままに放たれる。

「リリちゃん、ナイス！」

「間に合いました！」

烏《からす》の濡《ぬ》れ羽色《ばいろ》の髪をした少女が黒のフードの縁を両手で引っ張って目深《まぶか》に被《かぶ》り直《なお》し、ひと息

つく。あぁ、ブレスの光が眩《まぶ》しかったのかな？

狙いを外れたブレスは洞窟の壁をなぞるようにして吐き出され、私たちに直撃こそしなかったものの、この洞窟全体を大きく揺らしてみせていた。

いや、あんなのが直撃したらと思うとぞっとしないね。

と、洞窟が揺れた影響か、天井部分から大きな岩石が次々と落下してきて、雨のように私たち目掛けて降りかかる。

「わわわ⁉」

「チッ、これはダンジョンギミックか？　面倒くさい相手だぜ！」

黒ローブを纏《まと》った魔女スタイルのリリちゃんがその場に思わずしゃがみ込んでしまう中で、全身真っ黒な巨大狼《きょだいおおかみ》が口から炎の球を吐き出しながら、私たちの上に降ってくる岩石を全て焼き砕いてくれる。悪態を吐きながらも良《い》い仕事をしてくれるところは頼りになるねぇ。

「なんや⁉　フレアケーブイールの頭にも岩が当たってピヨっとるやん⁉」

「チャンス！　ということは、ボクの出番だね！」

そこで真打ち登場というべきか、キタコちゃんが胸を張ってじゃーんと立ち上がる。

うん。張ってもあまりないけどね。

「くらえっ、ドーン！」

キタコちゃんの言葉が辺りに響いたかと思うと、何もない空間から白スーツの上下にサングラス姿の背の低い男の人が現れて、その人が日本刀を片手にゆっくりとフレアケーブイールへと近付いていく。

「えーと……？」

私はしばらく考えた後で、ようやくピンときて声をあげていた。

「ああ！　静かなる人！」

「なるほどなぁ！ 確かにドンやわ！」

「「あぁ、ドンってそういう……」」

「ドンじゃなくて、ドーンだもんっ⁉」

なお、静かなる人はフレアケーブイールに日本刀で一撃を入れた後で消えてしまった。

ダメージが入ったのかどうかはわからない。

「まぁ、カスダメは置いといてやな」

「カスダメ⁉」

「ツナやん、頼むわ」

「心得た」

次の瞬間、タツさんの頭上から巨大な銛《もり》が飛ぶ。音速すらも超えてすっ飛んだ銛《もり》は見事にフレアケーブイールの喉元を捉えたかと思うと、フレアケーブイールの頭を昆虫標本のように洞窟の壁に縫い付けていた。しかも、飛んだ銛《もり》は一本だけではない。合計で八本飛んだ銛《もり》はその悉《ことごと》くがフレアケーブイールの頭を洞窟の壁へと縫い付ける。

「おぉっ！　凄《すご》い！」

親切な冒険者さんが歓声をあげる中、私はこの光景を見てアレを思い出していた。

「板前さんが鰻《うなぎ》とかを捌《さば》く時に、頭を固定するアレの光景に似てる！」

いや、実際に狙ってやったでしょ、ツナさん！

「ゴッド、後は捌《さば》いてくれ」

「いや、鰻《うなぎ》の捌《さば》き方《かた》とか知らないよ。でも、まぁ、とりあえず……」

私は【収納】から剣を一本引き出すと、それをひゅんと振るう。

剣術とかはできないけど包丁を使ってお料理したことはあるし、三枚におろすくらいならできるんじゃないかな？　うん、魚は切り身しか買わないから実際にやったことはないけども。

「おいおいおい！　話を聞いていたか⁉　相手のステータスは五千オーバーなんだぞ！　それにメインの防御属性は斬属性だ！　刺《とげ》属性の銛《もり》ならまだしも剣でダメージなんて不可能だぞ！」

「そう？　問題ないと思うよ？」

剣を構え、そして一瞬で剣身を伸ばして水平に薙《な》ぐ。

――ィン！

大気すらも切り裂く甲高い音と共に派手なポリゴンを散らして鰻《うなぎ》の首五つと、巨大な銛《もり》が綺《き》麗《れい》に両断されるのが見えた。

………。うん、斬りすぎた。

「俺の銛《もり》が」

「うん、ゴメン。後でちゃんと修理するから……」

とりあえず、頭は落としたし、これで三枚におろせるかな？　いや、蒲焼《かばや》きってお腹《なか》を開くんだっけ？　それとも、背から開くの？　私がそんな風に呑気《のんき》に考えていると、またしても親切な冒険者さんから新たな情報が。

「なんというとんでもない武器だ！　それでもダメだ！　フレアケーブイールは頭に模様があって、それが数字になっているんだ！　その数字の順番通りに頭を斬り飛ばさないと延々と再生し続けるぞ！　レシオを抱え落ちした奴《やつ》も慢心してそれを怠ったからやられたんだ！」

「え？」

そういう重要な情報は早めに教えてほしい！　切断したフレアケーブイールの首元からマグマが溢《あふ》れ、それが頭部を象《かたど》ったかと思うと即座に再生していく。

そして、何事もなかったかのように叫び声をあげながら、五つの首全てがブレスを吐こうと口を大きく開く。

「暴走モードだ！　こうなったら、ひたすらにブレスを吐きまくる！　その攻撃力には誰も耐えられないから、一定時間逃げ回るしかないぞ！」

だから、そういう重要な情報は早めに教えてほしいんだけど！

「【灰棺《はいかん》】！」

五条の熱線が空間を走る中で、私は空中に浮かぶ六つの灰色の棺《ひつぎ》を前面に展開して、その棺《ひつぎ》の蓋を開く。蓋の中にはどこへ繋《つな》がっているかもわからない深淵《しんえん》の虚無があり、それが膨大な熱量を受け止めて吸収してくれる。

だが、流石《さすが》に全ての熱線は吸収できないらしい。フレアケーブイールから吐き出された半分の熱線が【灰棺《はいかん》】を押し切って燃やし——、そして私に直撃する。

「あぁぁぁ、なんてことだ……」

「あつっ」

「え？」

親切な冒険者さんがすごく腑《ふ》に落ちないみたいな声をあげているんだけど、でも、私の感想としてはそれぐらいのものだ。それでも、この熱線を浴び続けて髪の毛がアフロになるのは勘弁願いたいので、私は片腕を前に伸ばして反撃する。

「【肉雲化】」

その力を発動させた瞬間、私の腕の肉が別の生き物のように圧倒的な速度で膨張していく。

モリモリと際限なく膨れ上がっていく腕の肉と、それを燃やし尽くそうとして放たれる五条の熱線。

勢いが均衡したのは一瞬――。

次の瞬間には肉が光を一気に飲み込み、そのままフレアケーブイールの五つの頭全てをビチャアと洞窟の壁に貼り付けていた。

まぁ、私には【それなりに超?回復】もあるからね。ダメージレースで私の肉雲を削り切るのは至難の業だと思うよ?

「というか、頭の模様を全然見てなかったや。誰か、鰻《うなぎ》の頭の模様の数字見てた人いる?」

「いや、見とらんわ。ちゅうか、ブレスが眩《まぶ》しくて誰も見てへんやろ」

「1、2、3、4、5、6、7、8の順番だな。間違いない」

「なんで見えとるん⁉」

流石《さすが》、ツナさん。食べ物に対する執着というか、集中力が半端《はんぱ》じゃないね。

「なるほど。じゃあ、この順番だね。えいっ」

ツナさんが指し示してくれた順番通りにフレアケーブイールの頭を刎《は》ねていく。そして、全ての頭を刎《は》ね終《お》わった時、フレアケーブイールはポリゴンの欠片《かけら》となって、その場で砕け散っていた。

うーん。素材は丸々残らなかったかぁ。じゃあ、次はドロップ確認だね。多分、あると思うけど、念のためやっておこうっと。

「は?　いや、ステータス五千だぞ?　それをレシオ1で圧倒できるプレイヤーがいるなんて……まさか！」

「こっちは外れやな。どや、ヤマちゃん？　そっちはレアドロの【鰻《うなぎ》の蒲焼《かばや》き】は落ちたか？」

「落ちたよ～。けど、ストックもっと欲しいよね？」

「恵まれた肉体を持っていながら、魔法メインに戦う変な関西弁のドラゴン。進化したばかりだと言っていたから、その姿を把握していなくても当然だ。そして、そのドラゴンの相方と言えば……」

ブツブツと何かを言っている親切なプレイヤーさんを後目《しりめ》に、私は【収納】から【蘇生薬《そせいやく》】を取り出す。そして、それをターゲットカーソルが出た部分に向けてひょいと放り投げる。放物線を描いて飛んだ【蘇生薬《そせいやく》】は、ターゲットカーソルに当たるとパリンと容器が割れて――、

「ギャオオオオオオオ――――！」

「うん。鰻《うなぎ》が生き返った」

「なんでフレアケーブイールを生き返らせてるんだよぉぉぉぉ⁉」

「リポップに時間かかるタイプのレイドボスやなくて良かったなぁ」

いや、だって【鰻《うなぎ》の蒲焼《かばや》き】を沢山ストックしておきたいんだもん。

ついでに【全体化】の効果も発動したらしく、鰻《うなぎ》にやられたプレイヤーも全員生き返ったみたいだね。だから許してほしいかな。

「じゃ、狩ろう。目標百鰻《うなぎ》ね」

「ワイもレベル上げに丁度《ちょうど》えぇからマラソンに付き合ったるわ」

「素材が丸ごと残ってくれると嬉《うれ》しいんだがな」

「はわわ、頑張ります～」

「一本ぐらいは首を叩《たた》き斬《き》りたい。そして、剝製にして飾る」

「アンデッド系と炎属性ってあまり相性良くないんだけどなぁ」

「お前ら、そこは『オー！』とか言うところじゃないのかよ？　締まらねぇな」

「オー！　……えぇっ⁉　やんないんですか⁉　みなさん、酷《ひど》いですよ⁉」

「このイカレ野郎ども！　やっぱりヤマモトと愉快な仲間たちじゃないか！」

親切なプレイヤーさんの悲鳴のような声をBGMに、私は鰻《うなぎ》を殺しては生き返らせてを繰り返す。

この後、市場には鰻《うなぎ》のドロップアイテムが大量に流れて価格破壊が起きることになるんだけど、この時の私はまだそれに気付いていないのであった。

そして、またちょっとやりすぎちゃった私は、ゲーム内の掲示板でこう言われるのだ。

またヤマモトの仕業か！　と――。

これは、そんな私の悠々自適なデスゲームの記録である。

第一章　バクダンのバはバランスのバ

「ん？　あれ？　妹の愛花《あいか》ちゃんからメッセージだ。なになに……」

山本凜花《やまもとりんか》、アラサー、喪女、趣味はゲーム、漫画、アニメなどなど。

そんな私がこれからかかり切りになるであろう新作ゲームが——、

「『ＬＩＡ《Life is Adventure》の抽選に当たったけど、どう？　羨ましいでしょう？』……いや、久し振りのメッセージがそれかい。というか、私も当選してるし。むしろ、廃プレイする準備を完璧に整えて、これからゲームを起動しようとする感じだし。『こっちも当たっていますが何か？』と返しておこっと。あ、ついでに『お幸せに～』とか追加しとこうかな？　最近彼氏できたみたいだし～？　いや、それはこっちにダメージがあるからやめておこう……」

そう、『Life is Adventure』……通称、ＬＩＡである。

現実と全く変わらない五感が仮想《ヴァーチャル》現実空間で再現できるようになって約五年——。その五年後に満を持して発売されようとしている本格派ＶＲＭＭＯＲＰＧこそがＬＩＡなのだ。

勿論《もちろん》、この五年の間にＶＲＭＭＯＲＰＧは沢山発売されている。

だが、どれもこれもが新世代のＶＲ機器の能力をフルに活《い》かしきれていないというか、五感に完璧に訴えかけてくるような画期的なシステムにまで達していなかったのだ。

この問題に関しては開発費や開発規模、開発会社の技術力不足などが嘆かれていたが、今回のLIAに関しては違う。

ゲームレビューを行った雑誌記者全員が満点をつけて絶賛し、あまつさえ「新世界をLIAは体験できる！」と最大の賛辞を送ったほどなのだ。

開発元の株式会社ユグドラシルも、「LIAはひとつの別世界をコンセプトに、五感で世界を感じられるのは勿論《もちろん》、自由度に関しても既存のRPGの枠を超える新時代のゲームです」とコメントしたのだから堪《たま》らない。

当然のようにLIAはゲーマーを中心に否応《いやおう》なく期待感を高め、そんな熱にあてられたのか、一般の人たちも「それだけ言うならやってみようか」と、大きな社会現象となって、LIAをプレイしようという機運が高まっていったのである。

お陰様で初回出荷本数十万本の購入は抽選制となり、私はめでたく十万人の当選者の一人として選ばれた、ということである。

勿論《もちろん》、LIAをプレイするための（LIAのためだけじゃないけど）新型VR機器《マシン》は購入済み。こういうことには全力を尽くすタイプというか、趣味が休日にゲームをプレイすることのオタク女ですから、ぬかりなしって感じだ。

ちなみに、最新のVR機器はディスプレイ一体型である内蔵バッテリー付きのヘッドギアの形をしていて、これを頭に被《かぶ》ることで脳内に流れる電流を読み取ったり、操作したりすることで、ゲーム内で感覚的に操作できるようになるんだそうだ（技術についてはあまり詳しくない）。

更に言えば、先の電波新法の制定により日本国内での無線環境が飛躍的に改善し、従来のネットワークの不安定さや遅延などの問題は完全に解消されている状況だ。

つまり、日本全国のどこだろうと、全員が同じ環境でプレイできるし、勝手にネットワークから切断されたりすることもないというわけである。

うん。技術の革新って素晴らしいね。

「さて、それでは早速、お楽しみのＬＩＡを起動するかな～。ぽちっとな！」

ＶＲ機器の電源を入れ、ホーム画面から早速ＬＩＡの起動を選択する。なお、ソフト自体は当選者のみに配布されるユーザーコードとパスを使って、事前ダウンロード済みである。

「これは……宇宙かな？」

ＬＩＡを起動した私の目の前には真っ黒で広大な空間が広がっていた。

三百六十度見渡す限りの星空の中に一人の少女が浮かんでいるのが見える。

うん、私だ。

相変わらず、歳《とし》とかけ離れた見た目をしている。こんなのどう見ても、十七、八の小娘じゃん。そして、目を見張るほどの美少女っぷりも健在。まぁ、そのおかげで引き籠もりになって、社会復帰しづらくなって、引き籠もりでもできるイラストレーターという職業に就いたんですけどね。ま、天職だから良いんだけどさぁ。

というか、美少女って要領良《い》くないとキツイんですわ。もしくは、鋼メンタル持ちじゃないとね。

男子は馬鹿みたいに下半身に従って告白してくるし、それを素っ気なくフッていると、今度は女子に何様のつもりだよと総スカンくらうし。

私、何もしてないのに完全無視あんどイジメの対象だからね。人とのコミュニケーション能力も高くなかったから挽回《ばんかい》できなかったし、「もう面倒くせぇ！」って登校拒否してたくらいだし。

まぁ、今はセンシティブな内容の絵をネットに平気でアップしてニヤニヤするぐらいの鋼メンタルにはなってるけど……いや、あの時は辛《つら》かったわー。

というわけで、私の暗黒時代そのままの姿が宙に浮いている。

成長？　してないね！　そういう体質っぽいからね！　でも、一部は成長していて、更に男を惹《ひ》き寄《よ》せる感じになってるんじゃない？　もう、何？　完全に女の敵じゃん。同性の友達が欲しいんだけども？　一応、あんまり着心地の良さそうじゃない布地の服の上下を着ているんだけど胸の辺りがパツパツだね！　見ているこっちが恥ずかしいよ！

で、そんな私が目を開けると、こっちにすぃーっと寄ってきて私の目の前で止まる。

▼アバターの見た目を決めてください。

そして、ずらりと整列する変更要素のアイコン群。

うーん。決定できる項目多すぎじゃない？　あ、一応、下にヒントとして思考スキャンで感覚的に見た目は変えられますと書いてあるね。

つまり、髪の色に視線を集中させると……あー、髪の色の項目が選択されて、パレットが出てきたね。へー、一色を指定ってわけじゃなくて、グラデーションとか複数色、ピンポイントでの色変更も自由自在かぁ。流石《さすが》、自由度が半端《はんぱ》ないとか言っちゃうだけあるね。

とりあえず、絵師としては細部にまで拘《こだわ》りたい所存。

そんなわけで色々と探していたら、種族選択なんて項目があった。これで、ベースの姿を変えられるみたいだ。人間、エルフ、ドワーフなんかは基本で、ゴブリンとか、ドラゴンなんかもあったりするんだけど……いや、ドラゴンとか選んで大丈夫なの？　いきなりの四脚生活もあれだけど、周りに仲間いなそうだし、人間に討伐されそうになる未来しか見えないんですけど？

「あ、魔物族とかもある」

これ、焦《あせ》って始めた人は絶対見逃しちゃう奴《やつ》だよね？　しかも、このＬＩＡはやり直しのリセットができない仕様だ。ワンユーザー、ワンアカウントのみって制限があるって説明書に書いてあったからね。これ、見逃しちゃった人は残念だけど種族変更は諦めてって感じなのかな？

しかし、私は何を選んだら良《い》いのかなって、考えている目の前でドラゴンの選択肢がすっと消えた。

「これ、特殊な種族は人数制限あったりする？」

もし、そうだとしたら早いもの勝ちだ。のんびりと容姿を決めている場合じゃないのかもしれない。いや、でも、焦《あせ》って変な種族にしちゃうと、その後のゲーム進行が大変になっちゃうよね？　ここは慎重に、でも急いで……。

「うん。人族だけはやめておこう。中学時代の二の舞いになりたくないし」

人族のアバターは容姿をあんまり変えられないみたいなんだよね。人の域を出るなってことなのかな？　とにかく、男に寄ってこられてゲームどころじゃない事態にだけはなりたくない。

とはいえ、魔物族もなかなかに個性的な見た目の連中が多い。やっぱり、人間っぽい見た目の奴《やつ》がいいのかな？　尻尾でバランスとって歩くとか難しそうだし。

「吸血鬼とか？　うーん、弱点がわかりやすいのはちょっと……」

有名すぎて、弱点丸わかりの種族もNGだね。対人戦で対策されて終わる未来しか見えない。

色々と探していたら、ちょっと良《い》いものを発見してしまった。

「ディラハンねぇ……」

首なし騎士として有名なデュラハンのＬＩＡバージョンなんだけど、アンデッドじゃなくて妖精扱いみたい。

というか、なんでデュラハンじゃなくて、ディラハン？　とは思うけど、まぁ、ゲームによって呼称が変わったりするのはよくある話だしね。どう見てもスライムなのに、ゲルとかって名前だったりすることもあるし。

だから、このゲームではディラハンって呼称なんだろうなぁって納得することにしとこう。

そこツッコんでも仕方ないし。

まぁ、もしかしたら、デュラハンって聞くとアンデッドのイメージが強いから、それとは別で妖精ですよ～って運営が言いたかったのかもしれないね。

というか、ディラハンは首なし騎士という括《くく》りのせいか、最初から立派な鎧《よろい》と武器を持ってる。これって、初《しょ》っ端《ぱな》の金欠時に装備の買い替えが必要ないのでは？

とりあえず、種族をディラハンにしてみて、見た目を確認。

そうしたら、私の生首を小脇に抱える首なし女騎士ができあがった。

「怖っ！」

というか、視線の位置大丈夫？　酔わない？

そう考えていたら、視線がアバターのものに変化して急に下がった。

うーん。違和感はあるけど慣れるかな？

というか、頭の位置を元に戻せば問題ないか。

えいっと頭を首にドッキングさせたら、普通に強そうな騎士状態になっちゃったよ。

うん。いい感じ。よし、種族はディラハンにしよう。

で、鎧《よろい》のデザインはちょっと細部に拘《こだわ》ってカッコ可愛《かわい》くしようかな？　今は何かズングリムックリの肉壁タンクみたいなデザインだからね。もっとシャープで格好いいけど、女性らしさも出したエロ格好いい感じにしてみよう。流石《さすが》にビキニアーマーはないけど、ある程度の肌露出はありかな？

そんな感じでデザインを弄《いじ》くり回《まわ》すこと三時間――。

できました！

すっごい拘《こだわ》った結果、肩とか脇とか太腿《ふともも》とかを見せつけちゃっている白銀の女騎士ができあがりました！　ナニコレ、どう見てもディラハンじゃない！

というか、ディラハンを種族に選んだら、馬車と棺桶《かんおけ》のデザインまでできるようになったんだけど？　え？　付属品なの？　どういう設定？

なので、そちらも思い切り格好良くしてみました！

ちょっとした宇宙船みたいな馬車に、どこの宝箱だよっていうぐらい豪華《ごうか》絢爛《けんらん》な棺桶《かんおけ》をデザインしましたよ！　で、ようやくアバターの容姿を決定！

決定してから気付いたけど、私自身の容姿を弄《いじ》ってなかった……。髪を鎧《よろい》に合わせて銀髪にしたぐらいで、素の私の顔のまんまになってるんだけど？　デザインに凝りすぎたせいで疲れてたんだよ……。

キャンセルしようと思ったら、『キャンセルした場合はアバタークリエイトを一からやり直すことになりますがよろしいですか？』という文字が出てきた。

「マジかぁ……」

三時間の努力の結晶を無に帰せと？　いや、無理だって。

「まぁ、顔は兜《かぶと》とか被《かぶ》れば誤魔化せるはず……」

とにかくやり直しは嫌なので、そのまま進める。

で、アバターの後はユニークスキル決め。

ユニークスキルはランダムで決められるんだけど、気に入らなかったら何度でも引き直しできるらしい。事前に作られていた攻略サイトでは、アバターに凝るよりも、こちらのユニークスキルガチャに時間を突っ込むのが正解だとか書かれていたっけ。

なにせ、ユニークなスキルだ。つまり、ＬＩＡの世界にひとつだけのスキルとなる。

要するに、これも良《い》いユニークスキルは早いもの勝ちということになるのだろう。

というわけで、私よりも早くアバターを仕上げた人たちは、良《い》いユニークスキルを求めて絶賛引き直しの真っ最中に違いない。下手をすれば、もうユニークスキルを決定して、ゲームを開始している人たちもいるのかも。

うーん、ここは急いだ方が良《い》いのだろうか？

私が悩む目の前で、スキルの名前が入れ替わり立ち替わり変化している。どうやらランダムで変わっているらしく、目押しはできなそうだ。

「まぁ、気に入るまで引き直しができるんだから、大して考えずにぽちっと」

止まれ、と意識した瞬間にランダムで移り変わっていたスキル表示が止まる。

そこに書かれていたのは……。

▼ユニークスキル：【バランス】

これに決定しますか？　▼はい　／　いいえ

バランス……？

「え、どういうスキル？　普通、スキルって剣術とか、魔法とか、そういうのじゃないの？」

疑問に思っていたら、答えが返ってきた。

【バランス】

全てにおいて、バランスがとられる。

全てって書いてあるってことは、行動の全てに補正がかかるってことかな？　攻撃動作とか回避動作に補正がかかって有利に動けるとか、バランス感覚が良くなるとか、そういうこと？

ディラハンなんて種族を選んじゃったものだから、近接戦闘がちょっと不安だったんだよね。

しかも、全てにおいてって書いてあるのは、どの場面でもスキルが発動するってことだ。

だから、適用範囲が広いとみた。

「まぁ、運動神経は良《い》い方じゃないし、これでいっか」

とりあえず、『はい』を押して決定。

ユニークじゃないコモンスキルっていうのもあるし、足りない分はそういうので補っていけば良《い》いでしょ。

とにかく、今はデザインに使った三時間をさっさと進めて巻き返したい気分。

というわけで、ゲームスタートだ。

◆
◇
◆

ゲーキョ！　ゲーキョ！

はい、開始早々、森の中スタートなわけですが……。

「あれ？　人族じゃないと、始まりの町的な場所からスタートじゃないの？」

どうやら人外は始まりの町的な場所からスタートじゃなくて、どこぞの森の中からスタートするみたい。これは種族的差別なのでは？

とりあえず、チュートリアルとかないのかなーって考えていたら、視界の端にヒントマークが出てきた。えーと、『チュートリアルは街中で受けることができます。まずは、近くの魔物族の街を目指しましょう』かぁ……。

そして、視界に現れる白い矢印。これに向かって進めってことかな？

あ、またヒントが出てる。

えーと、何々？『道中ではモンスターが出てくることもあります。ステータスが初期状態の方は、スペシャルポイントを割り振って、能力を強化しておきましょう』……？

いや、チュートリアル前に戦闘の可能性があるのはおかしくない？　その戦闘のイロハを知るためにチュートリアルに向かうんだよね？

とりあえず、ヒントに従って、自分の能力を確認するためにステータス画面を開いてみよう。

なになに？　ステータスと念じるだけで、簡単にステータスウインドウが開くと……おっ、開いた。

【名前】ヤマモト
【種族】ディラハン（妖精）【性別】♀【年齢】０歳

【LV】1　【SP】30
【HP】170／170　【MP】120／120
【物攻】22（＋12）　【魔攻】8
【物防】25（＋15）　【魔防】25（＋13）
【体力】17　【敏捷《びんしょう》】5　【直感】4
【精神】12　【運命】7
【ユニークスキル】バランス
【種族スキル】馬車召喚
【コモンスキル】なし

「おぉ、硬い、強い！　そして、ノロい！」

物理攻撃力や防御力なんかは立派な（デザイン頑張った）鎧《よろい》や剣を装備しているから強いのはわかる。後は、魔法系も割と使えるのは、妖精種族だからかな？

その代わり、敏捷《びんしょう》や直感が鈍いから、素早い動きや攻撃を躱《かわ》すといった動きは苦手な感じ。

うん。純粋重騎士ですね、わかります。

ＨＰもＭＰもそれなりにあるから、割と戦闘でもゴリ押しでどうにかなるかな？

しかし、種族スキルとかいう見たことも聞いたこともないものがあるんだけど？

何だろうね、コレ？


【種族スキル】

種族固有で使えるスキル。ドラゴンであればブレスなど。

その種族が保有している固有のスキル。


なるほど？

つまり、私の場合はディラハンだから、馬車が召喚できると。

ん？　馬車を召喚して、それに乗って移動すれば、速度遅い問題も全て解決するのでは？

いや、そんなに上手《うま》くはいかないかな？

とりあえず、【馬車召喚】のスキルの詳細が見たいと願うと、次の表示が出てきた。

【馬車召喚】
消費ＭＰ：１００
馬車を召喚し、標的に死を宣告する。
※スキル実行後、二十四時間以内に標的を定めて、死を宣告してください。その標的を【馬車召喚】後、二十四時間以内に倒すことができれば、【馬車召喚】のスキルが終了し、馬車

と内部の棺桶《かんおけ》（簡易セーブポイント）が消滅します。標的を倒せなかった場合には、【馬車召喚】から二十四時間経過後に、HPに百パーセントのダメージを受けます。

「何というピーキーなスキル……」

一度使ったが最後、誰かに死の宣告をして、相手を倒さないと私が死んじゃうらしい。

なんて使い勝手が悪いスキルだ……と思っていたけど、

「よく考えたら、死の宣告に制限はないわけだから、別にフィールドの雑魚《ざこ》モンスター相手に死の宣告をして、倒せばオッケーだよね？」

つまり、死の宣告をして相手を倒さない限り、二十四時間乗り回せる乗り物が手に入ったとも考えられるわけだ。

いやー、凄《すご》いね、ディラハン！　めちゃ便利！

しかも、馬車の中にある棺桶《かんおけ》は簡易セーブポイントらしい。至れり尽くせりでしょ。

いや、待てよ……。

棺桶《かんおけ》が簡易セーブポイントなら、もしかして馬車の中はセーフティエリアになってるんじゃない？

「ちょっと試してみよう。【馬車召喚】！」

私が、そう叫ぶと同時にデンドロ○ウムみたいなデカい馬車が現れる。

うん。森の中を走ることとか全く想定していないデザインだ。

いいんだもん！　デカくて格好いいデザインにしたかっただけなんだもん！

森の木々を圧《へ》し折《お》りながら現れた馬車の内部に乗り込むと、これまた簡素というか、随分とすっきりとしたデザインになっている。

うん。モチーフとしては、近未来型の宇宙船内部をイメージしているから、滑らかな曲線と金属の融合が随所に見られるデザインになってるよ。

あと、馬車にはあるまじきコンソール画面のようなものも付けた。

ちなみに、このコンソール画面は元々馬車に付属していた首なし馬さんだ。

それを、姿形を散々改良して、コンソール画面に変更して、馬車を自走式にデザインし直したのが今の姿である。むしろ、鎧《よろい》のデザインよりも、馬車の大改造に時間を使った形だ。その分、馬車操作は楽できるけど。

▼セーフティエリアに入りました。

「おぉう、予想通り。馬車の中はセーフティエリアかぁ」

セーフティエリアとは、その内部にいる限り、一切の攻撃行為が無効になる空間で、そこではモンスターも仕掛けてこないし、ＰＫ《プレイヤーキル》もできないという一種の無敵ゾーンのことである。

「ここでなら、いきなり戦闘になることもないし、安全だし、今の内にスペシャルポイントでも割り振っちゃおうかな？」

スペシャルポイントとは、ステータス画面に表示されたSPという奴《やつ》で、このポイントを使用することでステータスを上げたり、新たなスキルを覚えたりすることが可能なポイントのこと——と、攻略掲示板に書いてあった。

しかし、このスペシャルポイント……略してSPは入手手段が限られているので、気軽に使えるものではないらしい。

基本は、レベルアップ時に貰《もら》えたり、新たな発見や称号を取得したり、上級職に転職《クラスチエンジ》する際に貰《もら》えるものらしいので、迂闊《うかつ》に割り振って取り返しがつかなくなる可能性もあるみたい。

だから、ここはちょっと慎重に様子をみた方がいいかもね。

「とりあえず、今は街に向かってみようかな？　チュートリアルでSPの使い方を教えてくれる可能性もあるわけだし」

というわけで、馬車から出て、改めて街の方向《矢印の向き》を確認し——、

——ガサガサガサッ！

なんか、近くの下草が激しく動いているんですけど？

「いや、改めて草のグラフィックを見ると凄《すご》いね？　何の違和感もなく草だよ。これ、どれだけリアルに作り込んであるのさ？」

いや、草だけじゃない。

森の中は虫とか鳥の鳴き声で溢《あふ》れていて、なんとも言えない騒々しさに耳が痛いし、草いきれの香りなんかもリアルで実際に森の中にいるというのがヤバいぐらいに実感できるほどだ。

感動！

……じゃない！　今はそんなことに感動している場合じゃなかった。

私はガサガサと動いた草むらに意識を向け、いつでも動けるように身構える。

「キィー！」

「おぉう⁉」

身構えていても、反射的に避けられるかどうかは別問題でしたー。

草むらからいきなり飛び出してきた額に角が生えた兎《うさぎ》の突進をもろに食らって、私はその場に尻もちをついてしまう。

「いったぁ～……」

ＨＰバーが瞬間的に視界の端に現れ、一割ほどがぐぐっと削れる。

一応、ダメージエフェクトみたいなのが飛び散ったので攻撃を受けたのはわかったんだけど、エフェクトがなければ本気で動物に襲われたみたいなリアルな怖さがあった。

「リアルすぎるってのも考えものだね。ちょっと怖いし……」

私に突撃してきた角兎《つのうさぎ》は後ろ足で砂を掻《か》くような動作をして、やってやったぜ感を出してくる。むむっ、兎《うさぎ》のくせに生意気な！

「あ！　【鑑定】ぐらいは最初に取っておくんだった！　相手の名前もわからないじゃん！」

とりあえず、仮名は角兎《つのうさぎ》としておこう。

角兎《つのうさぎ》は、後ろ足で地面を三回掻《か》いた後で、またもや私に突進。尻もちをついている私に回避する術はなく、またも直撃を喰《く》らってＨＰバーがググッと減ってしまう。

「わわっ、タイム！　タイム！」

私は叫ぶけど、勿論《もちろん》、角兎《つのうさぎ》は聞いてくれない。

とにかく、立たないと駄目だ！

ふんぬっと気合を入れて立ち上がったところで、角兎《つのうさぎ》がまたも突進してくる。

「ギャー！」

突進の衝撃で、またも転びそうになるのをなんとか踏ん張る。

ひーんっ！　モンスターが強すぎて嫌なんですけども～！　というか、私、タンクビルドのくせに盾持ってないし！　色々と装備が間違ってる気がする！

「げ！　またぁ⁉」

角兎《つのうさぎ》が後ろ足で砂を掻《か》いている。

それを見て、慌てて剣を構える私。もちろん、剣の振り方なんか知らないけど、一直線に角《つの》兎《うさぎ》が突っ込んでくるのはわかっているんだから、相手の通り道に剣を置くだけでずんばらりんとなるはずだ！

「キィー！　キィー！　キィー！」

あ、何か角兎《つのうさぎ》が赤く光った！　まさか、戦闘系のスキル⁉

「ひぇえっ⁉」

怖すぎて、思わずしゃがみ込んだ瞬間に、持っていた剣にやたらと重い衝撃がかかる。

何？　何が起こっているの？

というか、何か視界の端にダメージエフェクトが飛び散っているのが見えるんですけど！

見上げると、捧《ささ》げるように持っていた剣の刃に角兎《つのうさぎ》が引っかかっている！　さ、作戦成功？

「あ、あっち行けぇ！」

剣を振って、角兎《つのうさぎ》を地面に叩《たた》き付《つ》けると派手なダメージエフェクトが飛び散る。

ちゃ、チャンス……？

起き上がるも、片足を引《ひ》き摺《ず》って私から距離をとろうとする角兎《つのうさぎ》。そんな角兎《つのうさぎ》の姿にちょっとだけ同情しながらも、私は無慈悲に剣を振り下ろす。

「たぁーっ！」

そして、飛び散るポリゴンエフェクト。

私の視界の端に戦闘結果が表示され、私はようやく安堵《あんど》のため息を漏らす。

「やっ――……」

▼経験値33を獲得。
▼褒賞石《ほうしょうせき》8を獲得。
▼【バランス】が発動しました。
取得物のバランスを調整します。
▼褒賞石《ほうしょうせき》25を追加獲得。

「た――……えっ？」

あれ？　今、なんか変な表示が追加されていたような？

◆◇◆

【バランス】

全てにおいて、バランスがとられる。

「バランスがどうとか書いてあった気がしたから、改めて確認してみたけど……。これって、そういうこと？」

自分のユニークスキルの性能をまじまじと睨《にら》みつける私。

私はてっきりバランスというのは、身体能力的なバランス感覚の強化だと思っていたんだけど、改めて見てみると『全てにおいて』という文言が頭についている。

私はそれをどんな場面でも力が発揮できるのだろうと勝手に解釈していたんだけど、どうやら違ったみたい。

というか、戦闘のリザルトに関してバランスをとってくるとは思わなかったよ。

「つまり、アレでしょ？　経験値33に対して、褒賞石《ほうしょうせき》8だとバランスが悪いから、褒賞石《ほうしょうせき》がトータルで33になるように、追加で褒賞石《ほうしょうせき》25を獲得したと……。いや、それバランスとれてる？　逆に壊れてない？」

他の人のユニークスキルがどういうものかは知らないけど、このユニークスキルは絶対におかしい。どう考えてもぶっ壊れている気がする。

だって、お金を稼いだらバランスをとるために今度は大量に経験値が入ってくるんだよ？　戦わずして、商取り引きしてるだけでレベルが上がるとか意味わかんないし。

こんなの絶対弱体化《ナーフ》対象じゃない、まったくも〜。

「はぁ、ユニークスキルのことは後で考えよう。とりあえず、雑魚《ざこ》モンスター相手でも苦戦した現状を反省しつつ進もう……」

ステータスを確認してみたら、既にＨＰが１０８になっていた。タンク的なステータスビルドのくせに、雑魚《ざこ》モンスター相手にＨＰの四割を削られるとは情けなし。

「というか、実際に戦ってみてわかったけど、リアルに動物に襲われるのって普通に怖い」

さっきは兎《うさぎ》だったからまだ良かったけど、デカい蜘蛛《くも》とか蟷螂《かまきり》だったら、正直剣を放り出して逃げる自信がある。それだけリアルで怖かった。

なので、私は考えた。

「直接戦わなければいいのでは？」

目の前にはセーフティエリアを兼任する大きな馬車がある。

そして、セーフティエリアには何人《なんぴと》も侵入できないし、破壊もできないはず。

つまり、この馬車は無敵なのだ。

「なるほど。閃《ひらめ》いた」

私は馬車の屋根に上ることにした。

◆◇◆

「キィー！　――ギャッ⁉」

勇猛果敢に角兎《つのうさぎ》が草むらから飛び出してきたかと思ったら、馬車に轢《ひ》かれて吹き飛ばされていく。流石《さすが》は無敵ゾーン。馬車の屋根の上に乗っている私はなんともないぜ！

そして、馬車に轢《ひ》かれるとそれなりにダメージが入るのか、一発で這《ほ》う這《ほ》うの体《てい》になったらしい角兎《つのうさぎ》。そんな角兎《つのうさぎ》に馬車の屋根から、んしょ、んしょと降りてきた私が剣を振り下ろしてトドメをさす。

「ぐっばい！」

そして、飛び散るポリゴンの光。

うん。今、私はもしかしたら地上最強の生物になっているのかもしれない。

「馬車無敵作戦は今のところ順調だね。って、あ、レベルが上がっ——」

▼ヤマモトはレベルが1上がりました。

▼【バランス】が発動しました。
ステータスのバランスを調整します。
▼物攻が9上がりました。
▼魔攻が11上がりました。
▼物防が9上がりました。
▼魔防が7上がりました。
▼敏捷《びんしょう》が14上がりました。

▼直感が15上がりました。
▼精神が7上がりました。
▼運命が12上がりました。

「んんん？」

今、何かおかしなシステムメッセージが流れたような……。

私はなんとなく不安になって、心の中でステータスオープンと念じてみる。

【名前】ヤマモト
【種族】ディラハン（妖精）　【性別】♀　【年齢】0歳
【LV】2　【SP】32
【HP】141／190　【MP】190／190
【物攻】31（＋12）　【魔攻】19
【物防】34（＋15）　【魔防】32（＋13）
【体力】19　【敏捷《びんしょう》】19　【直感】19
【精神】19　【運命】19
【ユニークスキル】バランス

【種族スキル】馬車召喚
【コモンスキル】なし

「ステータスが全部19にまで上がってる！」

まさか、ステータスのパラメーターまでバランスをとって上がるとは……。

多分、レベルアップで体力の値が17→19にアップしたと思うんだけど、それに【バランス】さんが反応して、全てのパラメーターのバランスをとって、全パラメーターが19に上がった感じ？

「そこは平均値をとって……いや、それだと【アベレージ】になっちゃうのか……いやいや、やっぱりおかしいでしょ⁉」

LIAでは、レベルアップごとにステータスのパラメーターがランダムで2上がる仕様なんだよ？ けど、私の場合は【バランス】さんが発動して、レベルアップの度に全パラメーターが2上昇するわけだ。ステータスのパラメーターは全部で九つあるから、私は1レベル上がるごとに普通の人の九倍の速度で成長することになるってことで……うん。

「どう考えてもこのユニークスキルはおかしい……」

これは完全に修正入りますわ～、弱体化対象《ナーフ》ですわ～、とか考えながら馬車の屋根へと戻る。

どのみち、修正が入るであろうスキルに対して、今からやきもきするのも仕方ないので、とりあえずは気にしない方向でいこう。その方が気持ち的にも楽だしね。

「とりあえず、今日は街に着いてからログアウトしようっと」

既に森の中を彷徨《さまよ》い始《はじ》めて三十分ぐらいは経《た》っている。

うん。私の馬車が大きすぎて、矢印の方向に真《ま》っ直《す》ぐ進めないのがいけないんだけど、それでも流石《さすが》にこの陰鬱な景色には飽き飽きとしてきたところだ。

リアルと一緒だからこそ、飽きるのも早いというのは如何《いかが》なものか。

というか、そろそろ中世ヨーロッパ風の街並みが見たいんだけどなぁ。

というわけで、馬車をドリドリと走らせていたら――、

「ぎゃーす⁉」

「えぇっ⁉」

――まさか、人を轢《ひ》くとは思ってもみなかったよ。

第二章　ドラゴンのドは同行者のド

私が馬車で轢《ひ》いたのは小さな翼が生えたトカゲ？　それとも、ドラゴンかな？

それが、馬車で轢《ひ》かれたせいか、スタン状態になって倒れている。

一応、プレイヤーかどうかは目を凝らすとその人の周りにオーラのようなものが見えて、それが青だとプレイヤー、緑だとNPC、赤だとモンスターだと攻略掲示板には書いてあった。

だから、この小さいトカゲも青色に光っているからプレイヤーだとわかったんだけど……。

「とりあえず、証拠隠滅のために、この小さなトカゲは埋めておこうかな？」

「おいぃっ⁉　何怖いこと言うてんねん⁉」

チッ、どうやらスタンが解けてしまったようだ。じっくり観察なんてしてなきゃ良かった。

「何舌打ちしとんねん！　轢《ひ》いといて、その態度はあんまりやろ！」

「まぁまぁ、トカゲさん。落ち着いて」

「トカゲちゃうわ！　ドラゴンや！　フェアリードラゴンっちゅう、ちっちゃなドラゴンさんや！　可愛《かわい》いやろ！」

「自分で言う？　可愛《かわい》いって？」

それにしても、フェアリードラゴンって……。

某国民的RPGでそんなモンスターいなかったっけ？

「ちゅーか、アンタ、プレイヤーやろ」

「そうです。ロマンチックな出会い方をした私はプレイヤーです」

「せやな。パンを咥《くわ》えて、遅刻遅刻～って急いで走ってたら、角から現れた馬車にドーン……って、一欠片《ひとかけら》もロマンチックちゃうわ！　なめとんのか！」

「ノリいいですね」

「お前がやらせたんやろ⁉」

目を怒らせながら、こちらを見るチミドラゴン。

うん。悔しいけど、ぷりてぃ♪

「しかし、アンタ、顔いじりすぎやろ。どんだけ別嬪《べっぴん》さんにしとんねん……」

「そりゃどうも。でも、顔は無修整ですので……残念！」

「馬車ぁ！　馬車をそんだけ弄《いじ》っとる人間が、顔だけ無修整なわけあるかい！」

なるほど。普通に考えれば、自分のアバターのデザインだけ手を抜くって考えはないか。

いいね。それで押し切ろう。

実際は武器防具と馬車と棺桶《かんおけ》のデザインで力尽きたんだけどもね。

「馬車も無修整です」

「せやったら、ワイのドラゴンフェイスも無修整になるわ！　って、なんで対抗せなアカンねん！　おかしいやろ！」

第一絡《から》まれプレイヤーがなかなか楽しい人な件。

まぁ、嫌な人でなくて良かったよ。いきなり嫌な出会いをしていたら、しばらくログアウトして戻ってこないところだったし。

「まぁ、エエわ。ワイの名前はタツ言うねん。見ての通りの魔物族プレイヤーや。アンタは？」

「私はヤマモト。一応、人族プレイヤーに見えるけど、ディラハンだよ。ほら」

カポッと頭を取り外すと、タツさんは驚いて三メートルぐらい後ろに飛び下がる。

「うわぁ⁉　ビックリしたぁ⁉　なんや、それ！　人ちゃうやんけ！」

「おんなじ魔物族プレイヤーだって言いたかったんだよ」

カポッと首と頭をドッキングさせて、キュッキュッと捩《ね》じ込《こ》む。

これで、簡単には外れないよ！

「なんや、アンタも魔物族プレイヤーやったんか。見た目に騙《だま》されたわ。せやったら、向かう先も多分一緒やろな」

だろうね。今も視界の片隅で矢印が存在感を主張してくるし、多分、タツさんも同じ矢印が見えてるんじゃないかな。

「せやったら、一緒に行くか？　ヤマちゃん？」

「ヤマちゃん」

「アダ名や、アダ名。プレイヤー名なんて呼《よ》び難《にく》い奴《やつ》がぎょーさんおるからな。ワイは自分の呼びやすいようにアダ名つけてるんや」

「なるほど」

凝りすぎて、どう読むのさ？　という名前もネット上にはよくいるもんね。

「いいよ〜、一緒に行こう。タツさんも私の馬車に乗りなよ、移動が楽だよ〜」

「その馬車、ワイ轢《ひ》いとるんやけど……」

何か言いたそうな目。けど、私は完全にスルー。

とりあえず、利便性を前面に押し出す。

「楽だよ〜。プレイヤーは静止状態だから、自然回復のスピードが少し上がるし、モンスターは轢《ひ》き殺《ころ》せるし」

「それで、ワイも死に戻りしそうになったんやけどな？　まぁ、ええわ。せやったら頼むわ。正直、HPがレッドゾーンでシンドイねん」

思いもよらないところで、轢《ひ》き逃《に》げアタックの有用性が証明された件。

「何や、そのホクホク顔……。一応、言っとくけどなぁ。ワイのステは紙装甲やからな？　馬車を武器として計算するのはやめといた方がええぞ？」

ちなみに、HPが一発レッドになると、スタン状態のオマケがつくんだって。なんだ。馬車の轢《ひ》き逃《に》げアタックの特殊効果じゃなかったのか。

私はちょっとだけガッカリしながらも、タツさんを御者台に乗せて、街への道を急ぐのであった。

◆◇◆

「ワイなぁ、こう見えてもアルファテスターやねん」

馬車に乗りながら、時折モンスターをシバきつつ、タツさんと話をしていたら、急にそんなことをカミングアウトし始めた。

何か妙に、『魔物族は進化があるから選んだ』とか言ったり、モンスターとの戦い方にソツがなかったりするところに深い知識と経験を感じてたんだけど、どうやら開発段階のゲームで遊んでいた経験があるらしい。

「言うてもバイトやけどな。バグ見つけては開発に報告するみたいな奴《やつ》や」

「へ～、だから、なんかモンスターとの戦いも手慣れてるんだ？」

普通、いきなり四足歩行の生物になった時点で移動が困難だと思うんだよね。なおかつ、フェアリードラゴンってほぼ空を飛んでいるから、空中での姿勢制御に全力を尽くさないといけないはずなのに、モンスターの弱点に的確に攻撃してるし、始めたばかりの素人《しろうと》には無理な動きだとは思っていたんだよね。

「まぁな。ちゅーても、途中でやめたんやけどな」

「何でまた？」

「バグが多すぎてなぁ。報告しても報告しても、終わらなかったんや」

なんか心当たりがありすぎるんだけど……。

「まぁ、あの時は散々やったけど、こうして発売に漕《こ》ぎ着《つ》けたってことは、それなりに致命的なバグも減ったってことなんやろなぁ。今となっては良《い》い思い出や」

そういえば、このゲーム、ベータテストのプレイヤーを公募しなかったとか、ネット記事で見た気がする。その時は、守秘義務だとか、専門のテストプレイヤー集団がいるんだとかいう書き込みを見て勝手に納得していたんだけど、今となると随分と怪しい話にも思えてくる。

まぁ、ネトゲは運営しながら改善していくって部分も少なからずあるし、ゲームのリアル感や自由度は今までに体験したVRMMORPGの中でも群を抜いているので、そこはプレイヤーの目が向いている内に改善されていくといいなぁとは思うかな。

「そういえば、このゲーム、味覚も再現してるって本当？」

「モチのロンや。貴族連中が食っとる高級飯なんぞ、味覚の新次元ってレベルで美味《うま》いでぇ」

「うわぁ、食べてみたいなぁ……」

はぁ、分厚いステーキ肉とか食べたい……。

むしろ、【料理】スキルを取って、自分で料理するのもありかもね。未知の食材を調理して、どんな味がするのか楽しむっていうのも面白いよね。

「まぁ、味覚が再現されてるっちゅうのは良《い》いことばかりやあらへんけどな。上があるっちゅうことは下もあるっちゅうことや」

「下……。もしかして、タツさんは下も味わった……？」

「運悪くテスト項目にあったわ。舌の感覚失くなるレベルでおかしいから、気ィつけぇや」

「気をつけるレベルでどうにかなれば良《い》いけど。見たこともない食材だったら、興味本位で食べちゃいそう……」

タツさんとなんだかんだお喋《しゃべ》りしつつ、森の中を右往左往。

まぁ、私の馬車は大きいからね。森林破壊しないで進める道を選んでいると、どうしても遠回りになっちゃうんだ。

それでも二時間もしない内に、見上げると首が痛くなるぐらいには立派な城壁が見えてきた。

「タツさん、多分だけどあそこが目的地じゃない？」

「ワイもこの辺の開発には関わってなかったから知らんけど、多分そうやないか？」

一応、目的地に到着ってことでいいのかな？　そうなると……。

「そろそろ、馬車をしまわないと」

「別に街中でも馬車の通行はＮＧとちゃうやろ」

「いや、色々と面倒くさい条件がある馬車なんだよ」

というわけで、森近くに引き返して、何かデップリと太った毒々しい蛙《かえる》を馬車で轢《ひ》いてスタン状態にまで追い込むと、

「あなたに死を宣告します！」

▼毒々山椒魚《さんしょううお》モドキに死を宣告しました。

どう見ても蛙《かえる》なのに、山椒魚《さんしょううお》モドキって名前なんだね。もしかしたら、山椒魚《さんしょううお》の姿をしたモンスターが別にいるのかもしれない。

「斬り捨て御免！」

動けない山椒魚《さんしょううお》モドキを斬り捨てて、私は馬車を送還する。

▼死の宣告に成功しました。
▼経験値12を獲得。
▼褒賞石《ほうしょうせき》10を獲得。
▼【バランス】が発動しました。
取得物のバランスを調整します。
▼褒賞石《ほうしょうせき》2を追加獲得。

「なんや!?　馬車が消えよったぞ!?」

馬車が消えても宙に浮くことで、咄嗟《とっさ》に落下を回避したタツさんは流石《さすが》だと思う。

「そういうスキルだからね」

「けったいなスキルやなぁ」

まぁ、条件は変だけど、便利は便利なんだよね。

「それじゃ、街の方に行きましょうか？」

「せやな。とりあえず、チュートリアル受けたら、装備とか更新したいわ」

「タツさんの体に合う装備なんてあるの？」

「まぁ、特注になるやろなぁ」

「それだったら、私が作ろうか？」

「はぁ？　ヤマちゃん、装備とか作れるんか？」

「ＬＩＡ《Life is Adventure》で実際に戦闘してみてわかったけど、あんまり直接戦闘が得意じゃないんだよね、私。だから、生産職の方で頑張ってみてもいいかなぁって」

「生産職志望やったら、取るスキル多くなるから、よう考えて取らんとすぐＳＰ枯渇《こかつ》するで？　あれもこれもと手を出さないのがポイントや」

「肝に銘じておくよ」

まぁ、まだ何も生産系のスキルを取ってないんだけどね。

ディラハンの鎧《よろい》や武器のメンテもあるし、【鍛冶】特化で伸ばしていこうかな？

「まぁ、ヤマちゃんに装備頼むにしても材料揃《そろ》ってからやな。今は適当に安く済ますわ」

「出しゃばっちゃったならゴメンね？」

「えぇよ。生産職志望とか珍しいから、ヤマちゃんと縁が持てたんはエェことや」

生産職志望って、そんなに珍しいのかな？

まぁ、魔物族側で生産職というのは結構珍しいのかもしれない。武器を持って戦う魔物族が基本的に少なそうなんだもん。あとは、物作りで有名なドワーフが人族側だし、その関係もあるのかも。

もしかして、私ってニッチな産業を始めようとしてたりするのかな？

◆◇◆

「魔王軍第三都市、領都エヴィルグランデにようこそ！　ここは四天王であられるライコ様が治める地！　くれぐれも騒動などは起こさぬようにな！　では、行って良し！」

「えーと、ありがとうございます？」

仮の入場許可証を骸骨の兵士から受け取り、タツさんと共にエヴィルグランデという都市の中に入る。道中のリアルな風景にも驚いたけど、ここのNPCにも驚いた。受け答えが凄《すご》いスムーズで、まるでプレイヤーと話してるみたいなんだよ。

「凄《すご》いね、NPCじゃないみたい」

「新世界を謳《うた》い文句《もんく》にしとるからなぁ。NPCひとつとってみても、他のゲームとは一線を画しとるわなぁ」

タツさんとそんな感想を交わしながら、見上げるほど大きい巨大な黒門を潜《くぐ》り抜《ぬ》ける。門には魔術的？　もしくは魔法的？　な意味でも持たせてあるのか、何やら意味ありげな彫刻が其《そ》処彼処《こかしこ》に刻まれており、時折、虹色の煌《きら》めきを放っていて綺麗《きれい》だった。一応、スクショ撮っておこうっと、パシャ！

そして、門から見える街並み！

これもまた黒を基調にした街並みで、全体的に鋭い剣のようなイメージをした建物が多く建てられている。スペインのサ〇ラダ・ファミリア——、アレの規模を落として真っ黒に塗ったものが普通の家として建ち並んでいると想像すればわかりやすいかもしれない。

「魔王軍四天王の治める土地だからか知らんけど、いきなり活気のある街に辿《たど》り着《つ》いたなぁ」

タツさんに言われて、改めて周囲を見渡してみると、結構な種類の魔物族が街を闊歩《かっぽ》している。二足歩行の蜥蜴《とかげ》が武装していたり、紫色の皮膚をした牛とゴリラを掛け合わせた悪魔みたいなのが歩いていたりするし、ひとつ目の巨人なんかも片手で酒樽《さかだる》を呷《あお》りながら歩いていたりする。むしろ、私のような人型が少ないのである。

いや、異世界に来たって感じがするね！　しかも、それを肌で感じられるのが素晴らしい！　新世界をLIAは体験できるっていうキャッチコピーを見た時には、はいはいまたそういうキャッチコピーのVRMMORPGね、嘘松《うそ》乙とか思っていたけど、これはまさに新世界だよ！　道の砂埃《すなぼこり》、巨体が起こす震動ひとつとってみても、リアルとしか思えないもん！

「まさに、人種の坩堝《るつぼ》って感じやなぁ」

タツさんも私が街の雰囲気に感じ入っていたことに気がついたのか、同じように街を眺めながら呟《つぶや》く。

「まぁ、人族じゃないんだけどね」

「せやなぁ」

人の街だとエルフやドワーフが闊歩《かっぽ》してたりするのかな？　それはそれで見てみたいかも。

「で？　ヤマちゃんはどうするんや？　ワイはこの後、チュートリアル受けに行くついでに、冒険者ギルドでギルドカードを発行してもらおうと思っとるんやけど」

「じゃあ、冒険者ギルドまでは一緒に行くよ。私もチュートリアルは受けないといけないし」

「ギルドカードの発行はえぇんか？」

「私は、商業ギルドの方で発行してもらうよ。生産職志望だし、そもそも、モンスター退治は私には難しそうだしね」

「そうかぁ？　慣れれば簡単やと思うけどなぁ」

　というわけで、タツさんと冒険者ギルドを目指す。

　ちなみに、現在は門のところで受け取った『仮の入場許可証』のおかげで身分が証明されており、街中をウロウロできるけど、早い内に身分証を作っておかないと、その内に入場許可証が失効して街から追い出されてしまうらしい。

　その身分証となり得るのが各ギルドの登録カード……通称、ギルドカードと呼ばれているものだ。

　一応、初回登録は無料で、誰でも登録可。

　ただ、各ギルドによってノルマが定められており、そのノルマを達成できないと、ギルドを退会、登録カードも失効してしまうといった仕組みらしい。

　そして、二度目の登録時には相応の褒賞石《ほうしょうせき》もかかるとかなんとか。

　つまり、働かざる者食うべからずといった具合なんだろう。

　リアルでもバーチャルでも生きるということはなかなかにシンドイものらしいね。

「お、アレがそうやないか？」

　一枚の盾の前で剣が二本交差したマーク。

　うん。説明書に描いてあった冒険者ギルドのマークだね。

「ほな、ちょっくら行こか」

「そだねー。あ。チュートリアルも受付で頼まないといけないのかな？　だったら、一緒に並ぼうよ、タツさん」

「せやな。ま、ヤマちゃんは間違って冒険者登録せんようにせんとな」

冒険者登録をするともれなく冒険者ギルドのギルドカードが付いてくるので、私はここでは冒険者登録はしない。ちなみに、ギルドの多重登録については可能らしい。ただ、各ギルドごとにノルマが課されていて、負担が増えるのでオススメはしないというのがタツさんのアドバイスだ。

というわけで、タツさんと一緒に受付に並び、チュートリアルを申し込む。

お馴染《なじ》みの『冒険者登録に来たヒヨッコ共にイジワルな冒険者が絡《から》んでくる』みたいなイベントはなかった。ＬＩＡなら実装してると思ったのに……。

「かくなる上は、私が登録しに来た冒険者に絡《から》んじゃう？」

「そういうのは、商業ギルドでやってな？」

冒険者ギルドに併設の酒場でグダグダとタツさんと過ごす。

なんでも、チュートリアルは決まった時間にしか行われておらず、次のチュートリアルが始まるまで三十分ぐらいの時間がかかるらしい。その間は待ちぼうけである。

「タツさんは、チュートリアルは何をやるか知ってるの？」

「大したことないで。薬草見せられて、薬草を見分けられるようになったり、魔術の説明を受けて属性の解説とか受けたり、教官と戦って戦闘レベルを測ったりするだけや」

「超重要じゃん！　特に薬草関連！」

タツさんとのお喋《しゃべ》りに興じていて、【鑑定】のスキルを取るのをすっかり忘れていたよ！

それが、チュートリアルを受けるだけで薬草だけとはいえ、アイテムの見分けがつくようになるなんて……。生産職を目指す者にとっては神イベントかもしれないね。

「まぁ、冒険者になると、ポーションとかアホほど使うからなぁ。それぐらい自作しろっちゅうことやろな」

「それってつまりプレイヤーなら誰でも使えるワールドマーケットにポーションを流したら儲《もう》かるってこと？」

「序盤は儲《もう》かるやろな。せやけど、スキルとかも揃《そろ》ってくると回復手段も増えてくるし、ただのポーションやと売れなくなってくるんとちゃうか」

「なるほどねぇ。生産職としてやっていくために、【調合】とかも取っちゃおうかなぁ」

「そうやって色んな方面に手を伸ばしていって失敗すんねん」

グダグダと話していたら三十分はあっという間に過ぎたので、タツさんと一緒にチュートリアルの会場に向かう。どうやら、最初のチュートリアルは座学らしく、冒険者ギルドの二階にある一室で行われるらしい。あらかじめ教えられていた部屋に入ると、そこには既に四人のプレイヤーがいた。

「あ――、やっほ～、タツ兄！」

「ん……？　キタコやんけ!?　なんでそこにおんねん!?」

「いや、キタコはやめてよ！　ボクにはアイっていう名前があるんだからさぁ！」

その中のプレイヤーの一人にタツさんが反応する。ん？　知り合いかな？

それにしても、キタコかぁ。

アシンメトリーの髪型だけ見れば、確かにげげげっのキタコって感じがする。

それにしても――、

「タツ兄？」

「本物の妹とはちゃうで。例のバイトの時の後輩や」

アルファテスターをわざとボカして告げてきたってことは、不特定多数の人間に吹聴する話ではないってことかな。逆に、そういった判断の中で私に打ち明けてくれたってことに、タツさんと仲良くなれたことを感じてニンマリとしてしまう。

「隣の美人さんは、タツ兄の彼女さん？」

「深い仲の人です」

「誤解招く言い方すんなや！　偶然、ここまで同道した整形美人さんや！」

整形に違う意味を感じるんですけど？　アバターとして、こねくり回してないって言ったよね？

「あのぉ、お知り合い同士で盛り上がっているところ、すみません。どうも全員着席してないとイベントが始まらないみたいなんで……そろそろ着席してもらえませんか？」

控えめにそう言ってきたのは、ちょっと直視に堪えないゾンビの男の子だ。彼は変に絡《から》まれるのも嫌だったのか、低姿勢のまま頼むとそのままそそくさと自分の席へと戻っていく。

そして、ゾンビの男の子の隣の席には、深紅のパーティードレスを着た黒髪ボブカットの女の子が座っており、何故《なぜ》かコチラをガン見してきていた。

え？　何か睨《にら》まれるようなことやったかな、私？

私が戸惑っていると――、

▼Merlin に【鑑定】されました。

▼【鑑定】に抵抗しました。

▼【バランス】が発動しました。

【鑑定】をし返します。

▼【鑑定】に成功しました。

【名前】Merlin

【種族】レイス　【性別】♂　【年齢】0歳

【ＬＶ】５【ＳＰ】８
【ＨＰ】70／70【ＭＰ】150／150
【物攻】２【魔攻】20
【物防】８【魔防】20
【体力】７【敏捷《びんしょう》】11【直感】10
【精神】15【運命】３
【ユニークスキル】暗殺の刃
【種族スキル】物理無効
【コモンスキル】火魔術Ｌｖ２／闇魔術Ｌｖ１／鑑定Ｌｖ２／隠形Ｌｖ１

部屋の一番隅に座っていたローブの男の子に【鑑定】を仕掛けられたみたい。

ローブで顔を隠しながら、口元だけでニヤニヤと笑いながらコチラを見ている。

ニヤニヤと笑っているところを見ると、自分が【鑑定】し返されていることにまでは気付いてないのかもしれない。

それにしても、人の許可も得ずに【鑑定】をするのは、どのＶＲＭＭＯＲＰＧでもマナー違反なんだけど？　彼はこのゲームが初めてのＶＲＭＭＯＲＰＧだったりするのかな？　それとも確信犯？

私が変な顔をしていたからだろう。

タツさんが、それに気付いて訝《いぶか》しげな視線を送ってくる。

「なんや、どうした？」

「いや、いきなり【鑑定】を食らったんだけど、LIAでもコレはマナー違反だよね？」

「なんやと？　どこのどいつや！　そんな常識知らずなマネした奴《やつ》は！」

「別に良《い》いよ、タツさん。コッチの情報は抜かれなかったし、逆に相手の情報は抜かせてもらったから」

私の言葉にローブの奥の薄ら笑いが凍る。

「だから気にしなくていいよ、マーリン君？」

私がそう言うことで、部屋中の視線がローブの男に集まる。

彼は何かを語ることなく、小さく舌打ちをすると沈黙を貫くように俯《うつむ》いて顔を隠してしまった。

この様子だと、【鑑定】をしたのは確信犯かな？　私がゲーム初心者だと侮《あなど》った？

もしくは、凄《すご》い豪華そうな鎧《よろい》を着ているから、興味本位で【鑑定】をしちゃったのかもしれないね。これは、デザイン力を褒めるべきかな？

「なんや、その態度！」

「謝った方がいいよー、タツ兄怖いんだからー」

「まぁまぁ、良《い》いから座ろうよ、タツさん、キタコちゃん。このままだといつまで経《た》ってもチュートリアルが始まらないよ」

「キタコじゃないから！　ボクはアイだってば！」

二人をなだめながら席に着くと、部屋の扉が開いて一人の女性が入ってくる。

タイミングばっちりというか、ゾンビの子が言ってたように全員が席に座るのがトリガーなのかな？

入ってきたのは、黒レザーのハイレグスタイルで、ボン・キュッ・ボンの蠱惑的《こわくてき》な体型の美人さんだ。そして、背中には蝙蝠《こうもり》の羽が飾りのようについている。

あれは、種族一覧で見たサキュバス？　ひぇ〜、選ばなくて良かった〜。あんな格好、恥ずかしすぎて絶対に人前に出られないよ……。

「よーし、ひよっこども揃《そろ》ってるな！　まずは、自己紹介だ！　私の名はリリカ！　B級冒険者だ！　今日は貴様らに基礎の基礎を叩《たた》き込《こ》む教官役として呼ばれた！　よろしく頼む！　それと——」

瞬間、リリカ教官の姿が消える。

風が動いたのと、次の瞬間にくぐもった悲鳴が聞こえたから、教室の後ろの方に移動したと辛《かろ》うじて気付けたけど、動き自体は全く見えなかった。

振り返れば、リリカ教官に片腕で吊《つ》るされるマーリン君の姿がそこにあった。

「許可もなく相手に向かって、【鑑定】を仕掛けるのはマナー違反だ。場合によっては、速攻で殺されるぞ。肝に銘じておくといい」

マーリン君は、【物理無効】を持っているはずなんだけど、リリカ教官の腕を薄い魔力が覆っているのが見える。あれだと、【物理無効】でも普通に触れるのかな？

魔力を薄く纏《まと》わせるかぁ。

……………。

まぁ、そう簡単にはできないか。

多分、日々の研鑽《けんさん》が必要なんだろうね。

そういう意味でいえば、リリカ教官はちゃんと研鑽《けんさん》を積んだ冒険者ということなのだろう。

「す、すみません、でした……」

やっとの思いで謝罪の言葉を吐き出したところで、マーリン君は床に転がされる。

「ゲホゲホッ！」

うん、ルールやマナーは大事だってよくわかるね。

特に実力が上の相手には無礼は絶対ダメだ。

「借りてきた猫のように大人しくしろとは言わないが、基礎講習が終わるまでは問題を起こすなよ？　私の昇級試験にも関わってくる仕事だからな」

リリカ教官は睨《にら》んでくるマーリン君に気がついていないわけではなかったんだろうけど、それを無視して教壇に立つ。

なんとなくその姿に、私はプロ意識というものを感じるのだった。

◆◇◆

不穏な空気で始まったチュートリアルだったけど、内容自体はサクサクと進んでいく。

まぁ、みんな好き好んでこんなところで無駄な時間は過ごしたくないわけで……。

わざと進行を妨げるような、そんな事態は起きなかった。

起きたことといえば――、

「この葉っぱをよく見て覚えておけよ。コイツが薬草の葉だ。冒険者ギルドの三階には、こうした薬草やそれ以外の便利な野草がまとめられた資料がある。採取の依頼なんかを受ける時は、事前にそうした野草のチェックをしてから出掛けることだ。そうじゃないと、クエストの最中で何を集めて良《い》いのかわからないみたいなアホな事態に陥るからな」

▼【薬草】を認識しました。
▼【バランス】が発動しました。
認識できる野草の種類を調整します。

▼初級野草全五十二種を判断できるようになりました。

うん、ログアウトしたら、絶対に運営に報告メールを送ろう。このユニークスキルおかしいですよって……。

「いえ、何でもありません」

「どうした？　変な顔して？」

「…………」

◆◇◆

魔術に関するチュートリアルでは、なかなか興味深い話を教わった。

リリカ教官曰《いわ》く、魔術はSPを使わなくても、図書館で魔術書を一定時間以上読んでいれば、覚えるらしいという話である。

うん、それを聞いてマーリン君が身悶《みもだ》えている。

彼、普通に【火魔術】と【闇魔術】を既に取得してたもんね。SP的には、8も損したことになるんだから身悶《みもだ》えもすると思うよ。

「スキルの中には時間をかけて鍛錬を行うことで取得できるものも多い。時間はかかるが、それらの時間はきっとお前たちを高みに導いてくれるはずだ。また、取得したスキルも使い込んでいくことで、より洗練されていく。有名なところだと、魔術の腕が一定以上に上がると、魔法が使えるようになるとかだな。腕を上げたいのであれば、とにかく精進あるのみだ」

なるほど。何でもかんでもSPを使って、スキルを取る必要もないということかな？　自由な行動の中からも勝手にスキルとして生えてくるものもあるよ、ということらしい。チュートリアルを聞く前にSPを使ったりしないで良かった。思い切り損するところだったよ。

また、リリカ教官の話で印象的だったのは魔術の属性の話だ。

このLIAでは、各属性によって得意不得意があるらしくって、例えば【火魔術】は相手を攻撃する魔術が多いんだけど、逆に回復とかはできなかったり、【風魔術】は補助方面は充実しているんだけど、攻撃魔術がほとんどないとか、そういった特徴があるようなのだ。

で、リリカ教官が言うには――、

【火魔術】は攻撃力が高く、範囲攻撃が多いので、攻撃系の魔術師は必ず取得している。

【水魔術】は防御に長《た》けていて、地形効果とかにも強い。補助系の魔術師がよく取得する。

【風魔術】は命中、回避、手数が増えるので、スピード型の前衛職や補助系の魔術師が取得する。

【土魔術】は相手を妨害するのが得意で戦術的な戦い方を強いるので、軍事系の職に就いている魔術師とか、妨害系の魔術師が取得する。

【光魔術】は傷の回復、状態異常の回復が得意で回復魔術師が取得する。

【闇魔術】は相手の魔法抵抗を下げたり、相手の視界を奪ったりと嫌がらせ満載の魔術で、絡《から》め手《て》が好きな魔術師や攻撃系の魔術師がデバフ目的で取得する。

――といった感じらしい。

うん、ここまでの話でよくわかるように、どういった役割を目指すかで取得する魔術は絞らないといけないんだ。

例えば、回復を一手に担《にな》う回復魔術師なら、【光魔術】の一種に絞ったりだとか、バフ専門なら【水魔術】と【風魔術】の二種類に絞るとか、そういった感じみたい。

魔術を取得するなら、その辺もちゃんと考えて取得しないとダメらしいので、そこは私としても計画的に取らないといけないなぁ、と考えさせられたよ。

◆◇◆

「さて、それでは、次は実技指導を行う」

ようやく机上でのチュートリアルが終わったと思ったら、今度は冒険者ギルドの地下にある訓練場に移動して指導を行うらしい。空間的には体育館ほどはあるんだけど、周りに何人かいてやり難《にく》い雰囲気はあるね。

「冒険者登録をする者は良《い》い動きが見せられれば、いきなりD級冒険者からの開始となるからな！　頑張れよ！」

いや、D級とか言われてもよくわからないんですけど？

なので、タツさんに聞いたところ、普通の冒険者は一番下のE級から始まるらしい。

「E級は採取とか荷運びとか、そういうのをメインでやる冒険者なんや。街に知り合いを作ったり、近場の地理を覚えさせたりと初心者さんに少しでも知識をつけさせるようなクエストがぎょうさんある感じや」

「良《い》いことじゃない。何がいけないの？」

「『冒険者』イコール『モンスターを倒す』みたいなイメージがあるからなぁ。できれば、お使いの仕事をすっ飛ばして、モンスターとだけ戦いたいっちゅう奴《やつ》はD級を目指すんとちゃうか？」

「そうなんだ。タツさんもそうなの？」

「ワイか？　ワイはどっちでもえぇなぁ。どっちに転んでも、まぁまぁ楽しめそうやし」

「そういうの大事だよね～」

私とタツさんが話している間にも、一人目のゾンビくんが剣を構えて、摺《す》り足《あし》でジリジリとリリカ教官に迫っていく。なんか慣れた感じだし、剣道でも習っていたのかな？

それでも、簡単にリリカ教官に攻撃を躱《かわ》されて足を掬《すく》われているあたり、相手にもなっていないようだ。一瞬で終わりである。

「一撃の鋭さは良し！　だが、創意工夫が足りない！　誰もが正面から戦うと思うなよ！」

「あ、ありがとうございました……」

「では、次！」

次はパーティードレスの女の子だ。彼女はおもむろに口を開くと、唐突な金切り声を響かせる。それと同時に衝撃波がリリカ教官に向かって真《ま》っ直《す》ぐに飛ぶ。

リリカ教官はその攻撃をギリギリで見切って躱《かわ》すと、女の子が二撃目を放つよりも早く近付いて、女の子の首元にナイフを突き付けていた。

「うっ……」

「破壊力は素晴らしい。だが、スキルのクールタイムをどう乗り切るかは考えておかないとダメだ。よし、次！」

弱いモンスター相手だと二の矢は要らなかったんだろうね。だから、その辺は考えてこなかったんだろう。女の子もちょっと思うところはあったみたいで、すごすごと訓練場の隅に戻っていく。

次に出てきたのは、マーリン君だ。彼は片手に杖《つえ》を構えたまま、リリカ教官を前に微動だにしない。

「多分、クールタイムを気にして、魔術が撃てへんのやろなぁ」

「躱《かわ》されたら、あの子の二の舞いだしねぇ」

とはいえ、これは訓練のようなものだ。

いつまでも動かないというわけにもいかない。

「どうしたぁ！　教官として、先手はそちらに譲る決まりがある！　お前が動かないと、いつまで経《た》っても終わらんぞ！」

「く、くそっ！　【ダークミスト】！」

マーリン君の声と共に辺りが一瞬で黒い霧に覆われる。得意の【火魔術】じゃなくて、【闇魔術】で意表をついた形だ。けれど、黒い霧が晴れた時、マーリン君の姿はリリカ教官に片手で吊《つ》り上《あ》げられていた。一体何が起こったんだろう？

「お前は馬鹿か！　私の種族は闇を友とするサキュバスだぞ！　私に【闇魔術】は効かん！　魔術の効果をもっとよく考えるように！　次！」

「タツ兄、見ててね！　頑張ってくるよ！」

どうやら、次はキタコちゃんらしい。

キタコちゃんはリリカ教官と向き合うと先手必勝とばかりに、「わっ！」と叫ぶ。

次の瞬間には、リリカ教官とキタコちゃんの中間地点辺りに真っ白な輪が出現していた。

「…………」

その後、特に何も起こらなかったので、リリカ教官が空中に浮かんでいた輪を摑《つか》んで、それを使ってキタコちゃんを殴りつける。

「いたぁっ⁉」

「ユニークスキルの特性ぐらい、ちゃんと把握しておけ！　次！」

今のってユニークスキルだったんだ？　空中に輪を作り出すユニークスキルってなんだろ？　リングレーザーとかそんな感じ？　シューティングゲームとかだと強そうだけど……。

「うぅ、鼻血出た……。タツ兄、仇《かたき》とってぇ……」

「しゃあない。行ってくるわ」

「タツさん、頑張れー。キタコちゃん、薬草いる？」

「いるぅ……」

さっきの実習で貰《もら》った薬草をキタコちゃんの鼻の穴に詰め込む。

……………。

これって、使い方合っているのかな？

「多分、これ、使い方違ぅ……。鼻の中スースーするもん……」

文句を言いつつも、鼻から薬草をフンッとしないキタコちゃんは多分いい子だ。

そして、一方のタツさん。

私とキタコちゃんの声援を受けて張り切ったのか、アクロバット飛行をかましながら、積極的にリリカ教官相手に【ファイアーボール】をばら撒《ま》いていく。

あれって、明らかにスキルのクールタイムを無視しているように見えるんだけど、タツさんのユニークスキルなのかな？　まるで、爆撃のような攻撃だったけど、リリカ教官が翼を使って宙を飛び始めたら、あっという間に形勢が逆転しちゃったよ。最後は、タツさんが白旗をあげる形で終了。

リリカ教官ってば、強いね！

「お前は戦い方を既に確立しているな！　その嫌らしさに磨きをかければ、お前の力は上位にも通じるだろう！　よし、お前はD級から始めて良《い》いぞ！」

「お。お墨付き貰《もら》えたわ。らっきー」

「良かったねぇ」

「では、次！」

ん？

「あのー、私、生産職志望なんで冒険者になる気はないんですけど？　それでも、この実技指導を受けないといけないんですかね？」

「一応、規則で全員が受ける決まりになっている。大丈夫だ、こちらも手加減はする。だから、安心してかかってこい」

「安心してかかってこいと言われましても……」

とりあえず、リリカ教官と対峙《たいじ》する位置に移動するんだけど……。

「すみません、SP割り振りたいんで、少し時間を貰《もら》えます？」

「よし、その行為を貴様の先手として三分間だけ待ってやろう」

「ム○カ大佐かな？」

「リリカ教官だが？」

うん。NPCにこのボケは通じないみたいだね。

それはともかく、この実技指導は私にとってもチャンスだ。

前の人たちの指導状況をちゃんと見ていたらわかるんだけど、リリカ教官はちゃんと個人個人にヒントとなる助言を与えて、的確な指導をしてるんだよね。だから、戦闘が苦手な私も頑張って戦えば、きちんとした助言が貰《もら》えるはず。

別に生産職を目指すから戦闘は完全に無視って考えでもないし、できるならば戦闘でも格好良く立ち回りたいと思うのはゲーマーとしての性《さが》だ。

というわけで、ある程度SPを消費して、今考えている立ち回りをリリカ教官に見てもらおう。

そのためにはまずは【火魔術】を取る必要がある。

正直、私に近接戦闘の才能はあんまりない。

だから、遠距離から中距離でペチペチと戦える力が欲しいんだよね。

要領としては、馬車で轢《ひ》いて、剣でトドメをさす方法と同じ。

中・遠距離を【火魔術】で補って、最終的には剣で相手を倒すという戦法がとれればいい。

あ、【火魔術】をSPで取るついでに、ずっと最初から取る予定だった【鑑定】も取得しちゃおう。それと、【鍛冶】もだね。

三スキルで全部で8SPの消費……。

痛い出費だけど、ここは必要経費だと思って割り切ろう。それじゃ行くよ！　てい！

▼【火魔術】スキルLv1を取得しました。
▼【鑑定】スキルLv1を取得しました。
▼【鍛冶】スキルLv1を取得しました。

うんうん。沢山のスキルが取れたことで、ちょっとだけ気持ちが上がるね。

やっぱり、スキルはないよりもあった方がいいよ！

▼【バランス】が発動しました。
スキルのバランスを調整します。
▼【水魔術】スキルLv1を取得しました。
▼【風魔術】スキルLv1を取得しました。

▼【土魔術】スキルLv1を取得しました。
▼【光魔術】スキルLv1を取得しました。
▼【闇魔術】スキルLv1を取得しました。
▼称号、【賢者】を獲得しました。
SP5が追加されます。
▼【収納】スキルLv1を取得しました
▼【錬金術】スキルLv1を取得しました。
▼【調合】スキルLv1を取得しました。

「待って待って待って⁉」

「ダメだ。あと二分！」

そっちの待ってじゃない！

というか、何勝手にスキルを自動取得してくれちゃってるの⁉

慌ててステータス画面を開くも、そこにはSP31の文字……。

良かった。どうやら、見間違いだったみたいだ。勝手にSPを大量に使って問答無用でスキルを大量取得されちゃったのかと思ったよ。

あぁ、そうだ。【火魔術】を使うんだから、魔攻も少し上げておきたいな。

「あと一分！」

急《せ》かすようにリリカ教官の声が轟《とどろ》く中で、私はステータスのコモンスキル欄を見て凍り付く。

いや、あるじゃん！【水魔術】とか、【風魔術】とか！

え、何？ ひとつの魔術を取ったら、属性のバランスが悪いからって、全魔術が勝手に取得されちゃったの？ そして、【鍛冶】を取ったら、生産系のスキルのバランスが悪いからって、【調合】や【錬金術】まで追加されちゃったわけ？ あと、【収納】は何？【鑑定】同様の便利スキルセットとしてバランスをとって追加されちゃった⁉

「あと十秒、九、八……」

あぁ、【バランス】さんのバランス感覚に文句を言っている場合じゃなかった！

魔攻！ 魔攻を上げなきゃ！

って、動揺していたせいか、何か見慣れないボタンを押しちゃってる！

▼全SPを魔攻に割り振りますか？

▼いいえ／はい

振り分けるわけがないじゃん⁉ もちろん、『いいえ』だよ！

▼全SPを魔攻に振り分けました。

ん？

「六、五、四……」

なな、なんで、この選択肢だけ、『はい』と『いいえ』の選択肢の位置が逆になってるの⁉

UI《ユーザーインターフェース》！　UIがおかしいんですけど⁉

▼ヤマモトの魔攻が62上がりました。

▼【バランス】が発動しました。

ステータスのバランスを調整します。

▼物攻が62上がりました。

▼物防が62上がりました。

▼魔防が62上がりました。

▼敏捷《びんしょう》が62上がりました。

▼直感が62上がりました。

▼精神が262上がりました。
▼運命が6262上がりました。

す、ステータスオープン……。

「三、二、一……」

【名前】ヤマモト
【種族】ディラハン（妖精）【性別】♀【年齢】0歳
【LV】3【SP】0
【HP】808／830【MP】830／830
【物攻】95（+12）【魔攻】83
【物防】98（+15）【魔防】96（+13）
【体力】83【敏捷《びんしょう》】83【直感】83
【精神】83【運命】83
【ユニークスキル】バランス
【種族スキル】馬車召喚
【コモンスキル】火魔術Lv1／水魔術Lv1／風魔術Lv1／土魔術Lv1／光魔術Lv

1／闇魔術Lv1／鑑定Lv1／収納Lv1／鍛冶Lv1／錬金術Lv1／調合Lv1

「ゼロ——開始だ」

「……オワタ」

開始早々、私はいきなり人生設計が崩れたようなどん底感を味わっていた。

◆◇◆

私がいきなりSPを全て失うという絶望に打ちひしがれていようとも、リリカ教官にとっては、それは些細《ささい》なことなのだ。開始の合図と共にリリカ教官の姿が視界から消える——が、私はなんとなく左側面に回られたことを感じて慌てて反転する。

「うわっ⁉」

「⁉」

目の前を蹴りが通過していく！

怖っ！　そして、ステータスに全部割り振ったSPはダテではなかったみたい！

え？　もう一発来る⁉

リリカ教官はこちらに背を向けながら、独楽《こま》のように回転すると連続での後ろ回し蹴りを放とうとする。

それを私は背を反らしながら、なんとか躱《かわ》そうと頑張る。うん、わかっていても動けるかどうかは別問題なんだよ！

「ひぇ〜っ！」

「これもか⁉」

リリカ教官の鋭い後ろ回し蹴りが反転中の私の鎧《よろい》を僅かに掠《かす》り、その力が私の上半身を加速させてしまう。そして、そのままグルンッと回った腕が、蹴りを放った直後で硬直していたリリカ教官に直撃してしまう。あ、もしかして、スキル硬直中だった？

「あっ」

「くっ⁉」

ちょっと触れただけだと思ったのに思った以上に威力があったのか、リリカ教官が予想以上に吹き飛ぶ。

いや、リリカ教官がスキル硬直の真っ最中だったから踏ん張ることができなかったんでしょうけど……。それにしても、飛びすぎだよ。

それとも、私の物攻が思った以上に高いのかな？

「あの、大丈夫ですか？」

「ふふ、攻撃力、直感、敏捷《びんしょう》、運命力……全てが駆け出しとは思えない位置にあるな！　よし、お前もD級から始めろ！」

「いや、私、生産職ですから！　あ、あと魔術の評価もお願いしたいな、なんて……」

「使ってもいないものに評価なぞつけられるか！　ふむ、だが才能があるのは確かだ。冒険者になりたくなったら、すぐに冒険者ギルドまで来い。前途ある若者の登録はいつだって歓迎だ！」

「えぇっと、遠慮します……」

リリカ教官の熱烈なラブコールを受けながらも、私のチュートリアルはなんとか無事に終わるのであった。

…………。無事？

【STATUS】

Player

キタコ

【種族】シルキー（妖精）
【性別】♀【年齢】0歳

【LV】	1
【SP】	16
【HP】	160/160
【MP】	120/120
【物攻】	12(+2)
【魔攻】	12
【物防】	17(+4)
【魔防】	13(+1)
【体力】	16
【敏捷】	11
【直感】	12
【精神】	12
【運命】	1

STATUS

[コモンスキル]

光魔術Lv1/短剣術Lv1

[ユニークスキル]▶擬音

声で擬音を発することで、その擬音に見合った現象を引き起こすことができる。ポテンシャルは高いです。ポテンシャルは。

[種族スキル]▶家事全般

掃除／洗濯／料理などの家事全般のコモンスキルを高いレベルでこなすことができる。

Player

タツ

【種族】フェアリードラゴン（竜）
【性別】♂【年齢】172歳

【LV】	3
【SP】	8
【HP】	50/50
【MP】	320/320
【物攻】	1
【魔攻】	39
【物防】	2
【魔防】	17
【体力】	5
【敏捷】	21
【直感】	20
【精神】	32
【運命】	10

STATUS

[コモンスキル]

火魔術Lv3/闇魔術Lv1/姿勢制御Lv1

[ユニークスキル]▶魔道王

魔術や魔法のクールタイムが0秒になる。

[種族スキル]▶飛行

MP消費なしで空中を自在に飛び回れる。ただし、自在に飛ぶには慣れと勇気と技術が必要。

第三章　難易度天変地異級《テンペスト》だが大丈夫か？

　リリカ教官の熱烈勧誘をなんとか切り抜けた私は冒険者ギルドの外へと逃れていた。

　そんな私の隣には、私と同じようにして見慣れない街並みを眺めるタツさんがいる。

「もう行くんか？」

「最初からそういう話だったしね。一応宿でログアウトしてから、商業ギルドの方に行ってみるよ。冒険者としてやっていくつもりもないし、これ以上、ここにいる意味もないからね」

「それじゃあ、ここでお別れやな。そっか、ちと寂しくなるなぁ」

「ま、今生の別れってわけでもないし。拠点が同じ街なら、なんだかんだちょいちょい会うでしょ。キタコちゃんにもよろしく言っといて」

　私が笑って告げると、視界の端がいきなりチカチカと点滅する。

▼タツからフレンド申請されました。
　許可しますか？　▼はい　／　いいえ

　ここは、勿論《もちろん》許可だ。一応選択肢を再確認してから、私は『はい』を押す。さっきの件があるからね。慎重にならざるを得ない。

「まぁ、なんや。ワイで相談できることがあったら、いつでも連絡くれて構わんからな？」

「私も、生産関係で相談することがあるなら、お金次第で話を聞くよ？」

「そこは、『お友達価格で請け負うよ』とか言うところちゃうん？」

「ま、考えておくかな」

「アカン。早速、友情にヒビやでぇ……」

タツさんと会話を楽しみながら適当なところで別れる。

タツさんは、これからキタコちゃんと冒険者用の装備を買い出しに行くみたいだね。

私は宿を探してログアウトが目標だ。適当に屋台で串肉を買いながら、屋台のおっちゃんに安くて良《い》い宿屋を尋ねると、『竜の微睡亭《まどろみてい》』って宿が良《い》いみたい。

おっちゃんの話を聞いたら視界の端にマップが現れて、黒い部分にピンが立ったから、そこに行けば良《い》いみたいだね。

「ん！　熱々ジューシー！　美味《おい》ひぃ！」

ちなみに、料理はバフがつくものもあるらしいけど、それ以外は本当にフレーバーなアイテムなので、食べても食べなくても別に問題はない性能である。満腹度とかも特に実装されてないし、プレイヤーが料理を食べることは趣味の領域ってことになる。

けれど、ゲームの中とはいえ、こんなにはっきりと料理の味がわかって、美味《おい》しいというのなら、私としては食べざるを得ない！

というか、ゲームの中で美味《おい》しいものをたらふく食べるというのも、私がＬＩＡ《Life is Adventure》をやる目的のひとつなので、食べないという選択肢はないのである！

「そういえば、【鑑定】と同時に、【収納】のスキルも手に入れてたっけ？　食材を買い込んで、突っ込んでおけば好きな時に料理ができるのかも？　【料理】スキルも取っちゃおうかな？」

ま、ＳＰないけどもね！

ＶＲＭＭＯＲＰＧというと、モンスターを倒して強くなって、より手強《てごわ》いエリアに進んでいくというのが醍醐味《だいごみ》だろうけど、こうやってのんびりと趣味のようにスキルを育てていくというのも、これはこれで楽しいゲームの遊び方なのかもしれない。

ふらふらと街中を彷徨《さまよ》って、目当ての宿に着いたのは一時間後くらい？　もう空が大分暗くなっている時分に到着だ。

その逆に、宿の中はかなり明るくなっていて、晩ご飯を食べている客で賑《にぎ》わっている。

どうやら、ここが竜の微睡亭《まどろみてい》らしい。

「あ、いらっしゃい！」

「泊まりたいんだけど、部屋空いてるかな？」

「ちょっとお待ちください！」

忙《せわ》しなく働いているポニーテールの給仕《きゅうじ》さん。ぱっと見は赤毛のそばかすっ娘に見えるんだけど、その両のこめかみには角が生えている。うん、この人も魔物族だね。

「一人部屋ならありますよ。一泊二日で十八褒賞石《ほうしょうせき》。朝と晩ご飯付きで二十五褒賞石《ほうしょうせき》です」

うーん。【料理】スキルを取って、自分で作ろうと思っていた気持ちがいきなり折れそうだ。

ちらりと食堂の様子を見ると、お客さんは誰も彼もが幸せそうな顔をしている。

「…………。じゃあ、ご飯付きで五泊お願い」

私の気持ちはポッキリと折れました。いや、その内作るから！　【料理】スキル取って頑張るから！

「百二十五褒賞石《ほうしょうせき》になります」

「じゃあ、これで」

「まいど！　お部屋は二階の奥の二〇六号室になります。はい、これ鍵です。荷物置いたら、食堂の方に来てくださいね。晩ご飯を出しちゃいますから」

「あ、それじゃあ、先に晩ご飯貰《もら》っちゃっていい？　置くような荷物もないし」

「えぇっと？」

給仕《きゅうじ》の女の子が、私の鎧《よろい》をマジマジと観察して戸惑ったような声を出す。

「あー、私、ディラハンだから。鎧《よろい》も体の一部というか、脱ごうにも脱げないのよ」

鎧《よろい》は脱がないのかって顔だね。

「あ、そうなんですね。それは失礼しました。では、こちらのお席にどうぞ！」

食堂の一角に通されて、本日の晩ご飯を味わう。本日はミノタウロス肉のブラウンシチュー。ガレットのような堅めのパンを浸しながら、ブラウンシチューを堪能《たんのう》する。

「うーん。ひあわせ……」

ミノタウロスは高級な牛肉のようなお味。でも、現実と違うのは脂が胃にもたれないから、いくらでもいけちゃうってこと。ブラウンシチューの中には厚切りのミノタウロス肉がゴロゴロと入っていたけど、どれもこれもが口の中に入った途端にホロホロと崩れ、肉本来の味を主張する。

「これだけ崩れるってことは、かなり煮込んでいるはずなのに、肉本来の味や旨味《うまみ》がかなり主張してくるのは何故《なぜ》？　ミノタウロスの肉だからなのかな？」

「それもありますけど、煮込む前に軽くフランベして表面を焼いているんで、肉の旨味《うまみ》が閉じ込められているんですよ。あ、いらっしゃい！」

通りすがりの給仕《きゅうじ》の女の子がそう教えてくれる。

うぅむ、食材の味だけじゃなくて、調理法にも工夫が凝らされているんだね。

やるな、竜の微睡亭《まどろみてい》！

◆◇◆

大満足の晩ご飯を終えた私は部屋へと向かう。部屋の中はベッドひとつにサイドテーブルがひとつとクローゼットといったシンプルな内装。窓があるけど、鎧戸《よろいど》で月明かりなんかは入ってこない。その分、サイドテーブルにはランタンが置かれている。

「ランタンって油で点《つ》くのかな？　それともファンタジーっぽく魔石？」

この世界では、モンスターを倒すと褒賞石《ほうしょうせき》というものが手に入って、それが通貨の代わりとして使われている。

そんな褒賞石《ほうしょうせき》に魔力で属性を付与したものが魔石と呼ばれるもので、人々の生活の助けとして使われている――というのが、攻略掲示板に書いてあった。

「カラカラいってるし、魔石っぽいなぁ」

ちょっとランタンを振ってみたんだけど、どうやら魔石で動いているみたい。

ぽちっとスイッチを押したら、淡いランプ程度の明かりが周囲を照らす。なんだか、アロマキャンドルに照らされたかのような安らぎ空間だ。

「雰囲気いいなぁ。炎が揺れてないのが残念だけど」

キャンプファイヤーとか焚《た》き火《び》の火って、何故《なぜ》かいつまでも眺められちゃうよね？けど、今回のランタンは蛍光灯みたいに光るだけなので炎を眺めることはできない。残念。

「じゃ、そろそろログアウトするかな～」

ベッドに横になり、ランタンの明かりを消してステータス画面を呼び出す。

そして、ログアウト処理をしようとしたんだけど……。

「あれ？　なにこれ？」

▼ゲーム参加者が十万人を超えました。

▼イベント開始準備中のため、ログアウト処理はできません。

「イベント開始準備？　発売記念に何かやるのかな？」

十万人といえば、初回販売本数と同じだ。

普通、こういうイベントってある程度期間が空いてからやるものだと思っていたんだけど、ここの運営は最初からやる気なんだね。タツさんからバグの話を聞いていなかったら期待が持てたんだけど【バランス】さんの件といい、そこはかとなく不安だよ……。

▼緊急イベントが開始されます。

▼プレイヤーの皆様は上空を御覧ください。

ログアウトできない以上、イベントに参加するしかないのかな？

とりあえず、視界の端に表示されたシステムのお知らせメッセージに従って、私は宿の鎧《よろい》戸《ど》を開ける。

上空は雲ひとつない綺麗《きれい》な星空だ。

ちらりと周囲を見渡すと、プレイヤーとおぼしき魔物族がちらほらと空を見上げている。

結構、魔物族開始のプレイヤーもいるんだね。あのアバター作成機能《フォーム》だと気付かない人も沢山いるかと思っていたけど、そうでもないのかな？

やがて、空に急に雲が現れたかと思うと、その雲が一人の男の顔を形作る。眼鏡をかけた細目の中年。七三分けにした頭は、古き良き時代のサラリーマンを思わせる。

私はその男の名を知っている。

株式会社ユグドラシルのチーフプロデューサーである佐々木幸一《ささきこういち》だ。

彼が陣頭指揮を執って、ＬＩＡを創り上げたからか、多くのメディアでインタビューを受けていた関係もあって、彼の顔を知っているプレイヤーも多いことだろう。私もその一人である。

佐々木《ささき》は軽く片手を上げながら挨拶をすると、プレイヤー相手に話し始める。

『やぁ、ＬＩＡユーザーのみんな。私のことを知っている人はこんにちは。知らない人は初めまして。チーフプロデューサーの佐々木《ささき》だ。今回は、私たちの生んだ子供とでも言うべきＬＩＡを楽しんでくれてありがとう。初回出荷十万本という本数ながら、既に次回生産予定の三十万本分も予約で埋まっており、開発の方は嬉《うれ》しい悲鳴に悩まされているよ』

へー。既に、二次ロットの予約も始まっていて、そっちも予約が満杯なんだね。

いや、確かに、ほぼ別世界を体験できるし、この感動を味わいたいって考えるなら、その人気も当然なのかな？　まぁ、そう考えられるのも当選者の余裕なんだろうけど。

『そして、売り上げ好評につき、私たち運営からのサプライズプレゼントを君たちに送ることにしたんだ。みんな、システムのログアウトボタンを見てくれないかな？』

「ログアウトボタン？」

プレゼントボックスにプレゼントが届くとかじゃなくて？

私がログアウトボタンに視線を移すと、そこに表示されていたログアウトボタンがすーっと消えていく。またバグ……？

『おっと、色々と混乱する声が聞こえてくるようだけど、安心してほしい。これは全て想定通りの仕様だからね』

いや、バグじゃないの？　バグだよね……？

『私たちはね、このＬＩＡを創り出すのに持てるだけの技術、情熱、体力……全てを注ぎ込《こ》んで命を削る思いできたんだ。それこそ開発チームが死にかけたことなんて、一度や二度じゃ済まない。それだけの情熱をかけて創り上げてきたものが、このＬＩＡなんだよ。だから、そのゲームを十把《じっぱ》一絡《ひとから》げのゲームたちと同じように、飽きたからやーめたというのはちょっと看過できなくてね』

あれ？　なにやら、雲行きが怪しいんだけど？　あれ？

『私たちが命を懸けて創ったゲームを遊ぶのだから、遊ぶ方も命を懸けて遊んでもらわないと不公平じゃないかと私たちは考えたわけだ。だからね、真剣にやってもらおうと思って色々と趣向を凝らすことにしたんだよ。――例えば、これ！』

▼痛覚設定が最大値に変更されました。

▼痛みが現実世界と同等のものとなります。

▼以降、変更することはできません。

「はぁ⁉」

『腕を切られたなら相応の痛みを！　腹を貫かれたなら相応の苦しみを！　そういうものがあってこそ、人間というものは初めて真剣になれる！　私たちが求めているのは、そういうものなんだよ！　真剣に……死ぬ気でゲームを楽しんでほしい！』

「いや、ちょっと、正気の沙汰じゃないでしょ……」

▼タツからフレンドコールです。

私は、フレンドコールをすかさずオンにする。

「もしもし、タツさん！」

『おう、ヤマちゃん！　見とるか、アレ！』

「見てるよ！　何考えてるの、アレ！」

『正直、ワイにもわからん……』

膨大な量の開発で頭がおかしくなっちゃったとか？

佐々木《ささき》は続ける。

『このイベントが発生した時点で、初回の当選者たちの住所は今回のイベントの説明と共にすぐに警察に届けられることになるだろう。君たちの身柄は、すぐにでも病院かホテル施設にでも搬送されることになるだろうね。そこで、点滴生活にはなるだろうが、餓死するということにはならないだろうから安心してほしい。ただし、ヴァーチャルギアを無理矢理外部の力で外された場合はその限りではないがね』

ディスプレイ型ヘッドギアを脱がしたら、普通は安全装置が働いて意識が戻ってくるものなんだけど……。

『LIAは通常のVRゲームとは違って、脳のより奥の部分と電気信号で繋《つな》がっている。だからこそ、最高のリアル感を演出することができるんだけどね。けど、逆にそれだけ脳の奥深くと結びついていると、無理矢理切断した場合の影響が大きいことが報告されている。下手すると、ヴァーチャルギアを外された時点で植物状態になってしまう……なんてことが起こるかもしれない』

確か、脳の電気信号を弄《いじ》ることで体感できるVRゲームの開発初期段階では、そういう事故が多発したって聞いたことがあるけど……。LIAはその部分に踏み込んだってことなの？

『これはハッタリとちゃうな。実際、開発の現場では、それに近いような話もよう聞いたわ。ゲーム終わったのに三時間くらい目が覚めなかったとかな。作り話の類《たぐい》やと思っとったんやが、マジやったんか……』

「脳はデリケートな部分だから、ハッタリだとしても試す気にはならないよ……」

街中の風景も見回すが、プレイヤーとおぼしき人々は誰もが戸惑ったような表情だ。

そりゃ、いきなりこんな話を突きつけられちゃ、誰だって戸惑うよね。

『あと、ゲーム中に死んで蘇生《そせい》されなかった場合も、現実世界で本当に死んでしまうから気をつけたまえ。【蘇生薬《そせいやく》】はまだ見つかっていないが、見つけたら信用のできるプレイヤーに預けて、協力し合って攻略を進めることを推奨しよう』

え、死んだら、本当に死ぬ……？

それって、デスゲームという奴《やつ》では……？

『最後にもう一度言っておく。私たちは真剣にゲーム攻略をしてほしい一心で、このようなイベントを行っている！　決して、君たちに殺し合いを強要しているわけではない！　命懸けの冒険の末に、本当の友情、本当の勇気、本当の信頼、本当の達成感が育まれることを望んでいるのだ！　だからこそ、君たちにも真剣にゲームに取り組んでほしい！』

「勝手なことを……！」

『まぁ、自分たちも苦労したんやから、お前たちも苦労しろっちゅう子供の理屈やな……』

私たちの感想では、ボロクソである。

というか、そもそもゲームの攻略って、何をもってゲームの攻略って言うんだろ？

「タツさん、LIAって魔王を倒したらゲームクリアになるの？」

『魔王はおるけど、どうやろな？　このゲーム、魔王を倒すことを最終目標にはしてへんし』

それって、どうすればゲームを攻略したって言えるんだろ？　全てのアイテムを集めた？　レベルをカンストにした？　モンスター図鑑を全部埋めたとか？　どれも違う気がする。

『では、諸君の健闘を祈る！　ゲームを攻略した暁には、諸君らの身はこのゲームから解放されることだろう！　では、存分にゲームを楽しんでくれたまえ！』

そう言って、佐々木《ささき》の姿は宙に消える。

私は佐々木《ささき》の姿の消えた夜空をぼーっと眺めていたんだけど……。

『フェイクかもなぁ』

タツさんは、そう言う。

『今の話を聞いとると、ゲームを進めて魔王を倒せばえぇやろって感じに聞こえるんやけど、せやからこそ胡散《うさん》くさい。本当のゲームの攻略ってのは違うところにあるんとちゃうか？』

「タツさんもそう思う？」

私も同じように感じた。

むしろ、魔王と戦うように仕向けられているような気さえする。

『LIAは自由度が半端《はんぱ》ないゲームや。魔王を倒すっちゅうこともできるが、基本は自由に遊ぶことを基軸に作られたと聞いとる。せやから、魔王を倒したくらいじゃ終わらんのとちゃうか？』

「タツさん、早めに冒険者ギルドを抜けた方が良《い》いよ。魔王討伐の空気とかになったら、絶対にワリ食うの魔物族の冒険者じゃん……」

『掲示板とかで煽《あお》る奴《やつ》が出るやろうなぁ。特に人族側の冒険者とか無茶言いそうや。近いから何とかせぇとかな。けどまぁ、魔物族の冒険者が魔王討伐に動いたら、なんぼ何でも普通にテロ行為やってわかるやろ？　それをゲームクリア条件とするのはおかしいってのもな。皆、そこまで馬鹿やないと思うから、しばらくは冒険者続けるわ』

「引《ひ》き際《ぎわ》は見誤らないでよ？」

『まぁ、やるだけやってみるわ。ほなな』

そう言って、タツさんとの音声通話が切れた。

私は静かに鎧戸《よろいど》を閉めながら、ランタンの明かりを再度点《つ》ける。そして、ベッドの片隅に腰掛けながら、今日一日のことを思い出す。

色んなことがあった。

アバターに凝りまくって時間を消費し、適当なユニークスキルを選んだら、それが壊れスキルで、雑魚《ざこ》モンスターとも一進一退の攻防を演じ、タツさんと出会ってチュートリアルも受けた。

「そういえば、妹の愛花《あいか》ちゃんもＬＩＡやってるんだよね……」

私と同じようにこの騒ぎに巻き込まれているのかな？　それとも、まだログインしてなくて助かってるとか？　連絡をとりたいけどとる方法もないし、確認のしようがないのは痛いなぁ。事前にオフラインでフレンドコードの交換をする約束でもとり付けていれば……。それか、プレイヤー名だけでも聞いておけば良かった……。

「でも、愛花《あいか》ちゃんのことだから、大丈夫だと思う。多分……」

愛花《あいか》ちゃんは私と違って要領の良《い》い美人だから、案外と楽しくやれているのかもしれない。むしろ、山本家《やまもとけ》の出涸《でが》らしの私が超優秀な妹を心配する方が烏滸《おこ》がましいというか、先に自分のことを心配しろよって状態だ。とりあえずは胸の片隅に留《とど》めてはおくけど、どうにかしようとしてどうにもできないからなぁ。

それに、愛花《あいか》ちゃんは友達とＬＩＡをやるって言ってたし、私よりも状況的には恵まれているはず……。

ゴロンとベッドの上に転がる。

「はぁ、どうにもならないことに気を回すよりは、明日の我が身を考えよう……」

冷たいように感じるかもしれないが、明日には私が死んでいる可能性だってあり得るのだ。妹のことばかりを気にしている余裕は私にもない。

それにしても、と私は思う。

「調整もデバッグもまともにできない運営なのにデスゲームを開始って……運営、正気？」

問題は現在進行系で起きているけど、それ以上に抱えているチートがヤバすぎて、実はこの問題もすぐに解決されちゃうんじゃないかと願う私がいたりするのであった。

◆◇◆

翌日。一晩寝て起きてみたら、問題は解決しているんじゃないかと思ったんだけど、ログアウトボタンが復帰していないのを見て色々と察した。

誰もが書き込める掲示板は昨日から大混乱のようで、酷《ひど》い罵詈雑言《ばりぞうごん》が飛び交っているのを見て見るのをやめた。うん、諦めたともいう。

とりあえず、私的には強制的な休暇がとれたと考えて、ゲームを楽しもうかな？

その内、誰かがゲームを攻略してくれることでしょう。

私？　私は生産職だから、攻略最前線に出ていくことはない。

うん、ないよ。むしろ、頼まれても嫌だ。痛いのはNG。

だから、誰かがゲームクリアしてくれるまで、このゲームを楽しんでいればオーケーだと思っている。というか、それぐらいしかできない。

「おはよう。出掛けてくるね」

「はい、いってらっしゃい！」

給仕《きゅうじ》の女の子に出掛ける旨《むね》を伝えて、今日は商業ギルドを目指す。

仮の入場許可証の件もあるし、早めに身分証は作っておきたいよね。あと、五泊分の宿代を払ったおかげで、割と懐具合《ふところぐあい》がカツカツというのもある。だから、早く儲《もう》けを出したいのだ。

入り組んだ路地を通って、大通りへ。

そこから、まずは冒険者ギルドを目指す。

こういうのは、ユーザーに使い勝手が良《い》いように、同じような施設は同じような場所にまとめて配置してあるのが昨今のVRMMORPGの常識だ。特に、自分の足で歩くようなシステムのVRMMORPGはそういう作りが顕著になっている。

「おや、君は……」

大通りをウロウロしていたら、第一村人じゃなく、リリカ教官に発見されてしまった。

とりあえず、挨拶しておこう。

「昨日ぶりです、リリカ教官」

「面白い挨拶だな。あと、教官はやめてくれ。あれは、ランク査定のために引き受けた仕事だ。今は、B級冒険者のリリカさ」

言って、肩を竦《すく》める。

相変わらず革ハイレグとかいう際《きわ》どい格好なんだけど、それに目を留《と》める者はいない。多種多様な魔物族の中だとハイレグ程度では目立たないらしい。

いや、それでも、こちらが直視できないぐらいには恥ずかしいんだけども。

「で？　本日はようやく冒険者登録をしに冒険者ギルドにやってきたのかな？」

「いえ、商業ギルドを探していまして。迷ってました」

「ふむ、商業ギルドなら通りを隔てた向こう側だな。ポーションと金貨の袋の看板が目印だから探してみるといい」

「あ、ありがとうございます」

昨日は少し強引に勧誘しようとしてきたから、ちょっと苦手意識があったんだけど、こうやって話してみると普通に良《い》い人なんだよね。ちょっと勘違いしてたかもしれない。

礼を言うと、『冒険者ギルドにはお使いクエストのために、街の地図も貼ってあるから、迷ったなら見に来ると良《い》い』とまでアドバイスされちゃった。

うーん、これって遠回しに勧誘されてる？

とりあえず、お礼を言って、黒塗りのマップに刺されたピンを目標に歩き始める。

オートマッピングで歩いた場所は明るくなっていくんだけど、先に地図とかを確認しておくと、街に関しては全て明るくなったりするのかな？

でも、昨日の今日だと冒険者ギルドにちょっと入りづらいというのもあるよね……。

「おっ、ここかな？」

というわけで、まごまご考えていたら、何とか商業ギルドに到着した。

看板には積まれた金貨の袋と立てられたポーション瓶が描かれている。リリカさんの言葉を信じるなら、ここだろう。

「ごめんくださーい」

古ぼけた感じの扉を開けると、中はシックな雰囲気のバーカウンターや脚の長い丸テーブルと丸椅子が設置されている。天井も高く、吊《つ》り下《さ》げられたファンも回っているので、何となく中南米の酒場に来たようなイメージだ。

もしかしたら、普段は酒場として機能しているのかもしれない。

「あら、お客さん？」

出迎えてくれたのは胸がはち切れんばかりに大きいラミア種族のお姉さん。私よりも大きいだと!?　いや、対抗する気はないんだけども……。

そんな彼女がカウンターの後ろから片眼鏡を直しつつ、私の方に視線を向ける。

「本日は、どのようなご要件で？」

「えっと、商業ギルドに登録したいんですけど」

「え？　あ、うーん、登録かぁ。登録ねぇ」

あれ？　誰でも登録できるんじゃないの？　反応が芳《かんば》しくない？

「何か問題でもありました？」

「そうねぇ。口で説明するよりも見てもらった方が早いかしら」

そう言って、お姉さんが取り出したるは試験管みたいなガラス瓶が五本。

これって、多分、ポーションだよね？

実物を見るのは初めてだけど、ギルドの看板に描かれていたし、間違いないと思う。

しかし、これが何か……ん？　んんん？

「何か、このポーション、全部色が違いません？」

「そうなの。でも、全部【鑑定】上は【初級ポーション】なのよ。困ったものよねぇ」

いまいち話が見えないので、お姉さんに詳しく聞いてみると――、
・十本一セットの初級ポーション納品の依頼が昨日受注されて、受けたのが新人のギルド員（プレイヤー）だったらしい
・納品された物を確認してみると、品質がバラバラで、こんな物をワンセットとして道具屋に卸すわけにいかないから依頼は失敗判定とのこと

・新人は抗議するも認められず
・新人はギルドで受けられる依頼を片っ端から受けて姿を消す

——といった状態らしい。


「それ、嫌がらせで依頼を受けたまま失踪してません？」

「そうなのよねぇ。とても一人でこなせる量じゃないから注意はしたんだけど、聞く耳持たずって感じで……」


そりゃ嫌がらせ目的だったら、依頼の成否なんて気にしないものね。

とにかく、数を受けるでしょうよ。

「二日待ってひとつも依頼が終わらないようなら依頼失敗扱いにした方が良《い》いですよ？　ここの業務も回らないでしょうし」

「そうねぇ。仕事を探しに来た方にも悪いし、そうしようかしらね」


なんだかおっとりとした人だなぁ。

こんなことで商業ギルドは回っているんだろうか？

「で、結局、その新人の態度が悪いから、新たなギルド会員を加入させるのに慎重な姿勢なんですか？」

「態度は別に良《い》いのよ。態度も口も悪い会員だって沢山いるからね。ただ、納品された【初級ポーション】が問題なのよねぇ。これだけ品質にバラつきのある物を卸されたら、商業ギルドの信用問題にもなりかねないっていうので、上がカンカンで……。それを理解しないで文句を言う新人にもブチギレというか……」

商売は信用第一ってことね。

ゲーム内で軽く生産をしようと考えていたプレイヤーにとっては、そこまで理解が及ばなかったのかもしれない。

「今の話を聞いたので品質には気をつけますってことで登録できませんか？」

「言葉だけなら何とでも言えるから、上を納得させるにはちょっと弱いかしら？」

「でも、そんなこと言っていたら、誰も登録できないですよ？」

「一応、新人に頼らなきゃいけないほど、人材不足ってわけでもないのよねぇ。だから、しばらく登録を中止しても良《い》いかなぁって」

アカン。こっちの方向性で攻めても突き崩せる気がしない。

「えぇっと、上って言っていますけど、お姉さんにその権限はないんですか？」

「これでも、一応副ギルド長なんだけど……こうして店番を任されるくらいには弱い立場なのよ。ごめんなさいね」

いや、めっちゃ立場強いでしょ。むしろ、中途半端《ちゅうとはんぱ》に押し切られて登録させないように、副ギルド長自らが出張ってきて防壁になっている感じでしょ？

これは、彼女を口説き落とすのが正解かな？

「私、一応、【調合】【鍛冶】【錬金術】を持っているんですけど、それでも駄目ですか？」

「………。【鑑定】しても？」

「はい」

▼？？？に【鑑定】されました。

▼【鑑定】に抵抗しませんでした。

▼【バランス】が発動しました。

▼【鑑定】をし返します。

▼【鑑定】に成功しました。

【鑑定の片眼鏡】

人や物を鑑定できる片眼鏡。

ちょっと【バランス】さん!? 何やってんの!?

「？ 何かしら？」

「イエ、ナンデモナイデス……」

幸い副ギルド長さんには気付かれてないみたいだ。物に返したからかな？

しかし、このスキルってば、勝手に起動するから使い勝手が悪すぎるんですけど！

「これは……。相当な……」

副ギルド長さんが呟《つぶや》く。

相当な？　何だろう？

「わかりました。それじゃあ、きっちり品質を揃《そろ》えたポーションを十本作って持ってきてくれたら、ギルドに加入することを認めます」

おぉっと、いきなり生産職の道が開けた⁉　やったぁ！

「材料はこちらで用意するから、よろしくお願いね？」

▼クエスト：ミレーネからの依頼が発生しました。
▼【初級ポーション】1セット（10本）を納品してください。
▼期限：あと5日。
▼ミレーネから薬草×15を受け取った。
▼ミレーネから水×15を受け取った。
▼ミレーネから空瓶×15を受け取った。

「あれ？　素材が十五個ずつあるってことは、十五本分ありません？」

「いきなり成功するとは思ってないわ。だから、余分な素材を使って調整してちょうだい。余ったら貴女《あなた》の好きに使って良《い》いわよ。とにかく品質を揃《そろ》えてね？　濃すぎるのはエグ味が酷《ひど》くて飲めたものじゃないし、薄すぎるのは逆に効果が薄いの。だから、丁度《ちょうど》良《い》い濃さのものを十本お願いね」

「その丁度《ちょうど》良《い》い濃さの物って、見本とか貰《もら》えます？」

「構わないわよ。あとで返すか、十一本分納品してもらえば良《い》いわ。……あぁ、あと調合室はギルドの奥にあるから、そこの器具を使ってもらって構わないわ。作り方もそこに書いてあるので参考にしてね」

というわけで、見本のポーションを貰《もら》って、ギルドの奥へ。

ギルドの奥には他に錬金室もあったけど、鍛冶ができそうな部屋はなかった。

鍛冶がやりたかったら、専門の場所にでも行かないと駄目ってことかな？

「ここが調合室かぁ」

調合室には基礎調合セットという機材が置かれている。

どうも、これがないと【調合】のスキル自体が使用できないみたいだ。

「こういう機材、どこかで売っているのかな？　いずれは買わないとダメかな？」

できれば、【鍛冶】【錬金】【調合】の全てができる施設が欲しい。それが難しいなら、土地を買って、建物を建てて、自分で造るしかなさそうだけど、そうなると資金がなかなか……。

まぁ、世知辛いことは置いといて、ポーションを作っちゃいましょうかね。

「えーと、何々。『ゴブリンでもわかるポーションの作り方』？　タイトルェ……」

調合室にあった本を読んでみると、【調合】スキルだけでは説明のなかった部分が記載されている。

スキル【調合】を使えば、一瞬でポーションが作れるらしいけど、その場合はどうしても品質が低いものができてしまうらしい。【調合】のレベルが低い内は手作業で工程を行っていった方が、品質が良くなると本には書いてあった。そして、この本にはそのやり方が書いてあるのだ。

なので、ひとつひとつ手作業でやってみよう。

まずは、薬草を乳鉢ですり潰す。ごりごり～っとね。

で、すり潰した薬草を水の入ったビーカーに入れて、バーナーのような器具で熱する。この金網の付いた三脚とか懐《なつ》かしいわ～。そして、緑色の液体が沸騰したら、火を止めて濾《こ》した物を空瓶に詰めたら完成っと。

「うん。色が濃いね」

見本と見比べても色が濃すぎるね。エグ味が酷《ひど》いんだっけ？　試飲する気には到底なれない。

けど勿体《もったい》ないので、とりあえず取っておく。

「原因は、沸騰してから火から離すのが遅かったからかな？」

水の温度が徐々に上がるにつれて、薄緑色から濃い緑色にビーカー内の水の色が変わっていくんだけど、どうもジャストなタイミングが沸騰するかしないかのタイミングっぽいんだよね。

「これ、多分、水も計量してやった方が良《い》いよね？　それで、時間を計ってと……」

沸騰のタイミングは多分水の量で違うだろうから、その辺はきっちりと測ることにする。バーナーの火は出しっ放しでいいか。別に、私に料金の請求が来るわけじゃないし。それよりも、炎の勢いを固定してしまいたい。

「とりあえず、薬草の入っていない状態で五百ccだと二十七秒で沸騰すると。じゃあ、二十六秒くらいでビーカーから移せば大丈夫かな？」

というわけで準備を整えて、いざ本番。

「できた」

システムでストップウォッチを呼び出して、細かく時間を計ってやったところ、簡単に見本と同じポーションが作れた。

「結構、簡単にできちゃったけど、失敗した新人さんって感覚でやる人だったのかな？」

沸騰する時間を計らずに、自分の直感と体内時計を信じて今だーって？　そんな風にやってたら、そりゃ品質バラバラな物ができあがるでしょうよ。

私はきっちり時間を計りながらやったものの、それでも十本中三本が濃かったり、薄かったりの失敗作になってしまった。沸騰のタイミングを少しでも見誤るとコレだ。予備の素材も貰《もら》っておいて良かったよ、と思っていたら。

▼【バランス】が発動しました。
【初級ポーション】の品質を均等にします。


「え？」

確認したら、失敗作だったはずのポーションまで全て成功作に置き換わっていた。

「…………」

運営……。こんなチートスキルが横行しているような世界で、デスゲームなんて本当無理だから、今からでも遅くないよ？　さっさと土下座して、補塡のためのプレゼントを用意しといた方が良《い》いんじゃないのかな？

第四章　見よ生産の星は赤く燃えている！

「あら、早かったわね。……もうできたの⁉」

手順としては時間を守って同じことを繰り返すだけだったので、作業自体はサクサクと進んだ。結局、最終的には十一本の【初級ポーション】を持って、ミレーネさんに話しかけたら、先の反応だ。

キッチリとポーションの品質を確認されるが、落ち度はないはず。

ドキドキしながら待っていると、ミレーネさんは満面の笑みで片手で丸を作ってくれる。

「オッケーよ。品質も問題なし。貴女《あなた》が商業ギルドの会員となることを認めましょう」

「やった！」

「そういえば、名前を聞いていなかったわね。私はミレーネ。エヴィルグランデで商業ギルドの副ギルド長をしているわ。貴女《あなた》は？」

まぁ、お互いに知っているとは思うけどね。あっちは【鑑定】で、こっちは依頼の方で互いに名前を知っている。でも、だからと言って名乗らないというのは無粋ってもんでしょ。

「ヤマモトです」

「そう、ヤマモトね。それじゃ、ギルドカードを発行するから、ちょっと待っていてね」

というわけで、三分ほど待たされた後に鉄でできたギルドカードを手渡されたよ。

おー、ドッグタグみたい！　格好いい！

「仮の入場許可証はこちらで返しておくわね。それじゃ、簡単にギルドの説明をするけど良《い》いかしら？」

どたぷーんと胸を揺らしながら、ミレーネさんが説明する。

もしかしたら、悪さをした新人くんは男の子で、ミレーネさんの魅力にやられて、適当に依頼を受けちゃったクチだったりして。

だとしたら、ミレーネさんも罪な女だよねぇ……。

さて、ミレーネさんの説明によると、この鉄のギルドカードはE級の組合員を示す証《あかし》なんだそうだ。そして、ギルドのランクが上がる度に、鉄（E）→銅（D）→銀（C）→金（B）→ミスリル（A）→アダマンタイト（特級）にギルドカードの種類が変わっていくんだって。

ちなみに特級ランクは記載上はA級より上だけど、実力によるランクというよりも生産者を纏《まと》める立場の者に国から与えられるような名誉ランクなので、凄腕《すごうで》の生産者となるとA級の生産者がそれに該当するみたい。

「過去にはS級生産者がいたけど、今はいないのよねぇ」

「なんで、S級生産者はいないんですか？」

「S級っていうのは、A級の生産者で国の危機を何度も救ったりだとか、国民の生活を改善するような革新的な道具を何個も作ったりだとか、経済援助や外交で国が傾くのを救ったとかで授与されるようなランクなの。今は魔王国も安定しているし、そう簡単に授与されるようなランクじゃないのよ」

そういうことらしい。

で、このランクを上げるには基本的にギルドの依頼を受けるか、店や露店などで売り物を売ったりしていると勝手に上がっていくんだそうだ。

「上納金とか納めないといけない感じなんですか？」

「その辺は、ギルドカードを持っていると勝手に納められていくから大丈夫よ。ヤマモトちゃんは勝手に物を作って売っているだけで問題ないわ。でも、ランクを上げるには、ギルドの依頼を受けた方が手っ取り早くランクが上がるわね」

いつの間にか、みかじめ料を支払うことになっていた件。

詳しく聞くと、売り上げの何%かが勝手に上納金として吸い上げられていっちゃうみたい。ほとんど税金レベルのものなので、引かれている側もあまり気にはならないわよ、とミレーネさんは言ってるけど、滅茶苦茶《めちゃくちゃ》気にするタイプなんです、私！　小市民だからね！

「あぁ、そういえば、先ほどの【初級ポーション】納品依頼の代金を渡していなかったわね」

「貰《もら》えるんですか？」

ギルドカードが依頼報酬だと思っていたから、貰《もら》えることにびっくりだよ。

「元々、失踪した新人クンの未完了依頼だったからね～。勿論《もちろん》、完了に応じた報酬は用意してあるわよ。というか、依頼主から依頼料も貰《もら》っているし、報酬までガメるわけにはいかないでしょ」

まぁ、依頼料をギルドが黙って懐《ふところ》に入れちゃうわけにもいかないよね。

というわけで、ミレーネさんから報酬を受け取る。

▼ミレーネの依頼を完遂しました。

▼褒賞石《ほうしょうせき》500を獲得。

▼【バランス】が発動しました。

取得物のバランスを調整します。

▼経験値500を追加獲得。

▼ヤマモトはレベルが2上がりました。

「ふぁっ⁉」

「なぁに、変な声出して？」

「い、いえ、ちょっと予想より多くいただいたので……」

【バランス】さん、そのタイミングでいきなりの不意打ちは卑怯《ひきょう》ですよ⁉

というか、そうか。

急にデスゲームが始まっちゃってログアウトもできなくなっちゃったから、私のおかしなユニークスキルも弱体化《ナーフ》なしで、そのままの性能なんだ。それだと、街中で商売やっているだけで、勝手にレベルがガンガン上がっていくってこと？

これはかなり有《あ》り難《がた》いかも……。

痛覚設定が最大の現在、腕を切り落とされれば、リアルに腕を切り落とされる痛みが伴うはずだし、そんな状況でまともに戦えるのかは疑問だしね。

というか、私には絶対無理。

だから、レベル上げのために、街の外にモンスターを倒しに行くのは嫌だなぁと思っていたところで、街中で依頼をこなすだけで安全に経験値が得られるとなれば渡りに船だよね。

【バランス】さん、あなたは私の救世主かもしれないよ！

「【初級ポーション】って、一本五十褒賞石《ほうしょうせき》もするんですね？」

「店売りだともっと高いわよ。百ぐらいで売られてるんじゃないかしら？」

2倍なんかい！

なんか、ギルドに納品して損した気分……。

それだったら、自分で露店やって販売した方が儲《もう》けは大きかったような気がする。

「あー、その顔は露店で売った方が儲《もう》けられたのにーって顔ねぇ？」

「い、いえ、そんなことは別に……」

何故《なぜ》バレたし！

「まぁ、儲《もう》けを出すなら、それが早いし、手っ取り早いでしょうねぇ」

「え？　いいんですか？」

「ここは商業ギルドよ。ギルド会員じゃないならいざ知らず、会員が儲《もう》けるのを止める謂《いわ》れはないわ」

そりゃそうだ。ギルド会員の儲《もう》けの何割かはギルドが接収してるんだもん。わざわざ儲《もう》けるなとは言わないよね。

「けどまぁ、前途有望であるヤマモトちゃんがチマチマと小銭稼ぎに邁進《まいしん》する姿も見たくないから、少しだけヒントをあげましょう」

「ヒント？」

「そうね。この商業ギルドでは、一階に受付や調合室、錬金室なんかがあるんだけど、二階以降は資料室になっているのよ。で、その資料室には、D級以上でないと入れないようになっているのね。そして、ランクが上がる度に、更に上の階に行けるって仕組みなのよ。……で、上の階には、【中級ポーション】や【上級ポーション】といった上等なレシピもあるわけ」

それって、ランクが上がれば上がるほど、高ランクアイテムのレシピが覚えられるってこと？

「その中には、【蘇生薬《そせいやく》】のレシピもありますか？」

「勿論《もちろん》、B級会員になれば確認できるわ」

【蘇生薬《そせいやく》】でB級なんだ……。

でも、これは朗報。

ＬＩＡ《Life is Adventure》がデスゲームになってしまった以上、誰もが【蘇生薬《そせいやく》】は喉から手が出るほど欲しいはず。それを販売することができれば、きっと私的にはウハウハになれるはずなんだよね。

ムフフ、笑いが止まらなくなる体験したいですなぁ……。

「ランクの高いアイテムは、お値段も相応のものになってくるわ。【初級ポーション】でせこせこと稼いでいた金額なんて、それこそ雀《すずめ》の涙ほどだったって、そのレベルになれば気付くはずよ」

なるほど。当初の予定では、ワールドマーケット機能で【初級ポーション】を売って、プレイヤー相手に小銭を稼ぐ予定だったけど、それだとランクを上げるのには効率的じゃないんだ。

まぁ、初期の褒賞石《ほうしょうせき》集めには優位かもしれないけど、そのせいで後の大きな儲《もう》けを逃す可能性があるってことだよね？

多分、これに気付いている生産者は、今死に物狂いでギルドのクエストを消化しているはず。

そして、より良いアイテムを作り出して、オークションに流して稼ぎを出そうとしているに違いない。くっ、私も負けていられない！

「ミレーネさん、依頼の掲示板って、あそこにある奴《やつ》で合ってます？」

「お、やる気の目になったわね。嫌いじゃないわよ、そういうの。そうね、そこの三つの掲示板の一番左の奴《やつ》がE級の依頼よ。そこの依頼をこなしていけば、勝手に作れるレシピが増えるように、私が計算して貼り出してあるわ」

初心者育成も考えて依頼を用意しているとか、やっぱりミレーネさんってかなりやり手なんじゃ……。

「ちなみに、【調合】や【錬金術】の素材ってギルドで買えたりします？」

「沢山買ってくれるなら、割引価格で売ってあげるわよ♪」

やっぱり、ミレーネさんはやり手だ！

私がそれに気付くように、わざわざギルドで【初級ポーション】の素材を用意してくれたんだろうね、多分。

「ミレーネさん」

「何かしら？」

「私、ノンストップでランク上げちゃいますけど、他のギルド員にやっかみとか買いませんか？」

「平気よ～」

そう言うと、ミレーネさんは実に優しい笑顔で微笑《ほほえ》んでみせる。

「ここのギルドの高ランクの人たちって、皆、そんな感じで上り詰めていったんだから。わざわざ新人に文句なんて言わないわよ」

そうかぁ、そうなのかぁ……。

ふふふ、熱いじゃん！　商業ギルド！

◆◇◆

私がミレーネさんに啖呵《たんか》を切ってから、二週間が経過した。

「はい、コレがD級のギルド証ね」

「ありがとうございます！」

長かった……！　本当に長かった……！

クエストボードの依頼を片っ端から引っ剝《ひ》がし《べ》ては、毎日遅くまで調合室と錬金室に籠もる日々。特に私は、私の我《わ》が儘《まま》で【調合】と【錬金】を同時並行で進めていたから、D級になるまでのノルマ数が通常の二倍くらいかかっているはず。

ミレーネさん曰《いわ》く、D級になるには一定の金額がギルドに納められることと、特定の依頼を完了させることが条件にあるらしく、私はその特定の依頼を最後の最後まで残していたから遅くなったのだ。

なんで特定の依頼を残したのかって？

いや、だって依頼をクリアすることで報酬とか経験値が獲得できたりするんだよ？　そりゃ、全部クリアしてから、次の段階に移りたいじゃない！

というわけで、人よりも数をこなしながら、活動時間を限界ギリギリまで引き延ばして頑張った結果、なんとか二週間という時間でD級というランクに辿《たど》り着《つ》いた次第なのである。

なお、タツさんの周囲では早い者で一週間でD級冒険者になった人がいたらしい。

私の半分の時間かぁ。やるねぇ。

ちなみにタツさんはD級開始なので、C級にはまだまだ実績が足りないらしくて、絶賛頑張り中みたい。

デスゲームだし、無理はしないでほしいけど、そこはタツさんの自由だからねぇ。

頑張って、と応援しておいたよ。

というわけで、二週間頑張った私のステータスがこちらだ！

【名前】ヤマモト
【種族】ディラハン（妖精）【性別】♀　【年齢】0歳
【LV】11　【SP】16

【HP】950／950　【MP】950／950
【物攻】107（＋12）　【魔攻】95
【物防】110（＋15）　【魔防】108（＋13）
【体力】95　【敏捷《びんしょう》】95　【直感】95
【精神】95　【運命】95
【ユニークスキル】バランス
【種族スキル】馬車召喚
【コモンスキル】火魔術Lv3／水魔術Lv3／風魔術Lv3／土魔術Lv3／光魔術Lv3／闇魔術Lv3／鑑定Lv3／収納Lv3／鍛冶Lv3／錬金術Lv3／調合Lv3／料理Lv3

うん。色々とオールマイティーな要塞になりつつあるね。

硬い、早い、強い、魔法にも強い、運も良《い》い……なんだろう、このバグキャラ。

しかも、一回も街の外に出て戦っていないというね！

多分、攻略トップの人たちのステータスと比べたら、得意分野では負けてると思うんだ。

でも、総合を考えたら、かなりヤバイ状態になっていると思うんだよね。

だって、私の１レベルアップは普通の人の９レベル分のレベルアップなんだもん。だから、今は11レベルなんだけど、実際には91レベルぐらいの強さはあるんじゃないかな？　ただ、ステータスを平たく積んでいる状態だから、一点特化型の相手には勝てないかもしれない。

ちなみに、各種スキルがレベル3になっているのは、【調合】と【錬金術】を頑張った結果である。このスキルたちも、【バランス】のせいで、どれかひとつでも上がると、一斉にレベルが上昇するから他の人よりも苦労しないで、全てのスキルを育てられている次第です。

まぁ、そんなお手軽にスキルが育っている（【バランス】のせいで勝手に育った）せいで、自分のスキルに何があるのか、きちんと把握できていないのがなんとも言えないんだけどね。

特に、魔術系のスキル説明とかこの二週間で一回だけ目を通したぐらいだから、実戦で何を使っていいのかよくわかってない。

うん。そろそろ実戦もやるべきかな？　怖いけど。

「とりあえず、これでヤマモトちゃんは、晴れて【錬金術】と【調合】がD級のギルド会員になりました。それと同時に商業ギルドの二階の資料が閲覧できるようになります」

「はい」

「一応、資料室の資料は持ち出し不可なので、必要なレシピなんかがあったりしたら、メモをとるようにしてね。あと、私語厳禁だから、他の利用者の迷惑になるようなことはしないでちょうだい」

「わかりました」

なんというか、図書館みたいだね。

というわけで、早速、商業ギルド二階の資料室に行く私。

あー、ここまで辿《たど》り着《つ》くのに、本当に辛《つら》かった！　その分、ワクワク感も半端《はんぱ》じゃないんだけどね！　期待にドキドキだよ！

二階の資料室に辿《たど》り着《つ》くと、背の高い本棚が整然と並んでいるのが見える。

そして、部屋の一角には資料を読むスペースかな？　長机がポツンと置いてあるね。

（あ、珍しい。人がいる……）

私が商業ギルドの一階で生産活動を行っていた時も、時折、人が通っていたのは見かけていたんだけど、基本的には商業ギルドは人の往来が少ないんだよね。

まぁ、皆、街中で店とか露店とかを開いていて忙しいでしょうし？　生産施設もここよりも設備が整っているものが街中にはあるらしくって、ベテランの生産者はそっちの方を使っているらしいし？

つまり、ここの施設を使っているのは、私みたいな駆け出しだけってことだね。

というか、魔物族プレイヤーで生産をやろうっていう新規の人が全然いないんですけど？

それとも、私が見てないところでミレーネさんが断っているのかな？

まぁ、今はそんなことはどうでもいいや。レシピ漁《あさ》りでも楽しもっと！

本棚の間を歩いていると、沢山のヒントマークが浮かんでくる。どうやら、このヒントマークが浮かんでいるところの本が読めるようだ。

私は特に意識することなく、一冊を選ぶとパラパラと中身を確認していく。

これは、【万能薬】の作り方かな？　麻痺《まひ》とか、睡眠とかの状態異常を解除する薬らしいけど、材料には今までに使ったことのない素材の名前が載っているね。

流石《さすが》、D級だね。【調合】もワンランク進んだ感じがするよ。

▼【万能薬】のレシピを取得しました。

五分ぐらい目を通していたら、そんなアナウンスが聞こえてきた。

どうやら、レシピの本は内容全てに目を通さなくても、重要な部分が理解できれば、【調合】や【錬金術】のレシピとして登録できるらしい。

こうなれば、片っ端からレシピを覚えてやる！　と、気合を入れて、次の本を読んだのだけど……。

▼【鉄鎖丸】のレシピを取得しました。

▼【バランス】が発動しました。

▼D級ランクで取得できる【調合】レシピのバランスを調整します。
▼D級ランクで取得できる【調合】のレシピを全て取得しました。

▼【バランス】が発動しました。
D級ランクで取得できる【錬金術】レシピのバランスを調整します。
▼D級ランクで取得できる【錬金術】のレシピを全て取得しました。

【バランス】さん、さぁ……。

私のドキドキ感を返してくれない？

◆◇◆

「あら、早かったのね？」

「あはは……。とりあえず、今日のところは様子を確認したかっただけなので……」

まさか、パラパラと本を二冊捲《めく》っただけで、D級で覚えられる【調合】と【錬金術】の全てのレシピが登録されるとは思わなかったよ。明日からは、このレシピを使って、C級に上がるためのクエスト消化を頑張っていくしかないのかな？

うーん。ちょっと気が滅入《めい》るね……。

というか、もう少し生活に変化があっても良《い》いと思うんだ。

この二週間、【調合】と【錬金術】と【料理】しか、私としてはやってないんだよね。

あ、【料理】はSPを使って取得しました。

だって、作業に集中するとすぐ時間を忘れて、宿のご飯を食いっぱぐれるんだもん。

だから、調合室とかの設備を使って、ちょいちょいと肉を焼いたり、野菜を切ったりとかね。

そういうことをするために、さくっと取っちゃいました。

で、生産作業ばかりを引き籠もって繰り返していたわけなんだけど、そんなことばかり繰り返していると、生活に潤いがないというか、変化が欲しくなってくるんだよね。

そもそも、そろそろ戦わないとモンスターとの戦い方自体を忘れちゃうし。

だから、生産活動をそろそろプチ休止しようかなーと思っていたところだったんだけど……。

「かーっ！　わっかんねぇなぁ！　ねぇんだけど！　【獄炎草】の作り方！」

何か、すっごい大声で叫ぶ人が一階に降りてきて、私の思考は完全にストップしちゃったよ。

あれ、この人、さっき資料室で見かけた人だよね？

「ちょっと、いきなり大声で叫ばないでくれる？」

「おっと、わりぃ。えーっと……レミーヌさん？」

「ミレーネよ、ミレーネ！　ギルドの幹部の名前くらい覚えときなさいよ！」

「いや、それより、ミレーネさん、資料室に【獄炎草】の作り方を書いた資料がねぇんだけど！」

文句を言っているのは、バンダナを巻いた背の高い男性。見た目は筋肉ムキムキの細マッチョって感じだけど、その額からは二本の角が伸びてるところを見ると、オーガとか鬼とか、そういう種族なのかな？　人族でないのは確定だと思う。

「あなたの探し方が悪いんでしょ」

「いや、そんなことねぇって！　資料がねぇんだって！　ちゃんと確認してくれよ！」

「だったら、もしかして、C級の方にあるのかもねぇ」

「それ、なんとかならねぇの？　【鍛冶】ならB級なんだからよぉ。【錬金術】のC級資料の閲覧許可出してくれよ〜」

「規則は規則だから、そういうわけにはいかないわねぇ」

【鍛冶】……？

【鍛冶】ッ！

そうだ、忘れてた！　私がそもそもやりたかった生産活動は【鍛冶】だったんだよ！

それなのに、【調合】や【錬金術】に没頭して、まるで【鍛冶】をやってこなかっただなんて！

なんという失態！

「チクショー、【錬金術】のランク上げるしかねぇかぁ～。……ん？　っていうか、コイツ誰？　見ねぇ顔だな？」

「彼女は期待の新人、ヤマモトちゃんよ」

「あ、ヤマモトです。よろしくお願いします」

「おー。俺はガガってんだ。ヨロシクー。……ん？　期待の新人？　あれ？　ギルドではしばらく新人は取らねぇって言ってなかったか？」

「それを曲げてでも欲しかった人材って言えばわかるでしょ？」

「ほぉ」

キラーンとミレーネさんとガガさんの目が光った気がした。

う、なんか嫌な予感……。

「そういえば、ガガくんは【鍛冶】のスペシャリストだったわよねぇ？　依頼を選《え》り好《ごの》みしすぎてて、まだB級だけど腕はほぼA級なのよねぇ？」

「面白くねぇ依頼は受けねぇ主義なんだよ。それに良《い》い素材に普通の腕がありゃ、相応に良《い》い武器は作れんだろ。俺が打つ必要がない依頼なんざ、受けたくもねぇっつーの」

「それと、何？　ガガくん、夢があったわよね？」

「あー、結構馬鹿にされっけどなぁ。俺ァ、S級目指してんだよ。だから、しょうもねぇ依頼に時間を費やしたくねーの。おい、新人、俺の夢、笑ったら殺すぞ？」

いや、笑いませんって……。

日本人が得意な曖昧な表情で乗り切るよ。

「ち、何考えてるかわからねぇ顔しやがって……」

「で？　その夢のために【錬金術】を習い始めたんだったかしら？　ただの【鍛冶】だけじゃ、絶対に届かない、究極の【鍛冶】を目指すために多角的な視点で【鍛冶】を考えたいのよね？」

「【鍛冶】仲間にゃあ、そんなの勉強する暇があるなら、一本でも良《い》い武器を作った方が良《い》いって笑われたけどな……。ふんっ、そんな奴《やつ》らは全員ぶん殴ってやったけどよぉ！」

もしかしなくても、ガガさんってもの凄《すご》く喧嘩《けんか》っ早《ぱや》い人だったりする？　江戸っ子か、キレやすい中学生レベルで短気な気がするんですけど？

「そう。それなら、面白い素材があるんだけど、鍛えてみない？　【調合】と【錬金術】をD級まで修めて、更に【鍛冶】のスキルまで持っている異色の新人なんだけど？」

「ほぅ？」

ミレーネさんと、ガガさんの視線がこちらに向く。

というか、そこに私の意見を挟める余地があるんですかね？　ほぼ強制イベントじゃないですか、ヤダー！

「ガガくんが【鍛冶】を鍛えてくれたら、ガガくんが見たかったものを見せてくれるかもしれ

ないわよ？」

「俺は、自分の目標には自分の足で歩いていくんだよ。だから、他人に俺の目標を譲る気はねぇ。けどまぁ――」

ガガさんの鋭い眼差し《まなざ》に、私は「うっ」と怯《ひる》む。この人、喧嘩《けんか》っ早《ぱや》いっていうより、常に真剣なタイプだ。冗談が通じないというか。私とは相性が悪いように思うんだけど……。

「――テメェ自身が【鍛冶】を習いたいっていうんなら、教えなくもねぇぜ？」

これは、試されてる……？

やる気があるのか、ないのか。やる気があるなら、やる気を見せろってこと？

いや、元々、【鍛冶】はやるつもりだったんだ！ これは、渡りに船と考えるべきでしょ！

生産休止なんて後でもできる！

「【鍛冶】がやりたいです！ 教えてください、お願いします！」

「ちっ」

え、その舌打ちは何⁉ 頼み方間違った⁉

「明日の朝、街の東門まで来い。案内してやる」

そう言って、ガガさんはギルドを出ていってしまった。

これって……。

「良かったわね。弟子入り許してくれるって〜」

「で、弟子入り……？」

えーっと、これって一応、【鍛冶】を教えてくれる約束を取り付けたってことで良《い》いんだよね？　弟子入り云々《うんぬん》はよくわかんないけど……。

「そうなると、ヤマモトちゃんは明日の準備をしないとね～」

「明日の準備ですか？」

「そうよ～。ガガくんの工房って森の奥深い所にあるから、ちゃんと準備していかないと危ないわよ～？」

森の奥深く……。

——なんですとっ⁉

◆◇◆

翌日、早朝。

「おう、来たか、ひよっこ……って、何だそりゃ？」

久し振りに【馬車召喚】して待ち合わせ場所に向かったら、ガガさんが変な顔で出迎えてくれた。

うん。いきなり、馬もいない自律走行式の馬車を見たら、誰もがそんな顔するよね。

でも、こっちだって久し振りのお出掛けにプラスして、森の奥深くまで行くっていうんだから必死だ。痛覚設定最大値にデスゲームという要素が加わって、勝手にビビり倒した結果、今の私はこんな感じになっている。

【名前】ヤマモト
【種族】ディラハン（妖精）【性別】♀【年齢】0歳
【LV】11【SP】0
【HP】1270／1270【MP】1270／1270
【物攻】139（＋12）【魔攻】127
【物防】142（＋15）【魔防】140（＋13）
【体力】127【敏捷《びんしょう》】127【直感】127
【精神】127【運命】127
【ユニークスキル】バランス
【種族スキル】馬車召喚
【コモンスキル】火魔術Lv3／水魔術Lv3／風魔術Lv3／土魔術Lv3／光魔術Lv3／闇魔術Lv3／鑑定Lv3／収納Lv3／鍛冶Lv3／錬金術Lv3／調合Lv3／料理Lv3

えぇ、SPをステータスに全ブッパですけど、何か⁉

いや、だって、怖すぎるし！

何かよくわからない強いモンスターに不意打ちされて、即死する可能性だってあるわけでしょ？　だったら、死なないように強くなるしかないじゃない！

というわけで、ステータスにSPを全て注《つ》ぎ込《こ》んだ結果、基本パラメーターがついに三桁にまで到達したよ！　それでも安心できないのは、デスゲームだからだね！

うぅ、私の心の平穏を返してぇ……。

「なんでぇ、これ？　馬のねぇ馬車なんかぁ？」

「あ、私、ディラハンでして。これ、自前の馬車です」

「馬車……。馬車かぁ……」

先進的なデザインに唸《うな》るガガさん。

まぁ、見た目はデンド○ビウムだからね。

「では御者台にどうぞ。行けるところまで馬車で行きましょう。あと、道案内お願いします」

「ちっ、しゃあねぇ、邪魔すんぜぇ」

ガガさん、口は悪いけど、意外と素直なんだよね。うぷぷ……。

「何笑ってんだ、コラ」

「いてっ」

殴られた。けど、全く痛くない。

加減してくれたのかな？　意外と優しいね。

私たちは、街の門を出てドリドリ～と馬車で進んでいく。私のステータスが大幅にアップした影響なのか、馬車の方も邪魔な木の枝をへし折って進んでも、ビクともしなくなっている。

これなら、タツさんの時みたいに蛇行を繰り返さなくても進めそうだね。

「結構、豪快に行きやがんな……」

私がバリバリと馬車を進ませていたら、ガガさんからそんな感想が。

はっ⁉　雑な奴《やつ》だと思われている⁉

「移動は豪快ですけど、仕事は繊細です！」

「とても信じられん……」

「この鎧《よろい》の意匠を見てください！　これ、自分でやったんですからね！　ほら、見て、この細かな装飾！」

「わかった！　わかったから前見ろ！　また枝を圧《へ》し折《お》って進んでるじゃねぇか！」

フォローしたかったんだけど、駄目だったみたい。

なかなか、人とのコミュニケーションは難しいね。

そんなことを思っていたら、モンスターが出てきたので轢《ひ》き逃《に》げアタック！

そして、トドメの「【ファイアーストライク】！」——火の槍《やり》で貫く！

ちなみに、【火魔術】のLv3のスキルが【ファイアーストライク】ね。

「テメェは魔術も使えるのか……」

「嗜《たしな》む程度ですよ。そういうガガさんは使えないんですか？」

「鍛冶屋が魔術なんて使ってどうするってんだ？」

「炉に火を点《つ》ける時に便利かもしれないですよ？」

「その程度だったら……いや、意外と炉に魔素が溜《た》まって面白くなるか？　ほうほう、なるほどな……」

何か思いついたっぽいね。私は邪魔しないように馬車を進めるよ。

「押し付けられたと思ったが、なかなかどうして面白《おもしれ》ぇ発想をしやがるな。——おい、ひよっこ！　お前さん、名前は！」

「ギルドで会った時に名乗りましたけど？」

「忘れたに決まってるだろ！　言わせんな！」

「でしたら、ヤマモトです、ヤマモト」

「ヤマモト……。お前さん、魔剣に興味はあるか？」

魔剣？

その言葉に驚いて、思わず馬車の操作を疎《おろそ》かにしちゃったよ。おかげさまで、大木と正面衝突。まぁ、大木が大破したんで、大事には至らなかったんだけど。

「おまっ、マジで前見ろよ⁉　死んだかと思ったじゃねぇか！」

「あ、大丈夫です。【ヒールライト】使えますから」

「そういう問題じゃねぇ！」

ガガさんに、またポカリとやられる。

でも、痛くない。遠慮しているのかな？

「テメエ、何か硬くねぇか……？」

「そうですか？」

比較対象がないからなんとも。硬いのかな、私？

女の子だから、硬いって言われるより、柔らかいって言われた方が嬉《うれ》しいんだけど。

「それにしても、魔剣ですか？」

「おうよ」

「ガガさんは、魔剣専門の鍛冶師なんですか？」

「いや、魔剣は作ったことがねぇ」

作ったことがないんかーい！

「というか、いねぇよ。魔剣を作れる鍛冶師なんて、魔王国にはな。世界中を探してもガーッ帝国のお抱え鍛冶師がもしかしたら……って程度だろ」

え、魔剣ってそんな希少な物なの？

「顔に出やすいな、お前さん……。一応、魔剣自体は持っている奴《やつ》が結構いるぜ？　それこそ、高ランクの冒険者なんか複数持っていてコレクション自慢しているぐらいだ」

「だったら――」

「けど、そいつは天然物だ」

天然物？

「ダンジョンの宝箱とか、モンスターのドロップとかで、たまに出現する奴《やつ》が天然物。だが、そいつらを人工的に作り出せる奴《やつ》らはほとんどいねぇ」

「そうなんだ」

そっか。ファンタジーな世界だから、魔剣とか珍しくない代物だと思っていたけど、自分で作ろうとしたら相当厄介な代物なんだね。

いいねぇ。浪漫《ろまん》あるねぇ～。

「俺はとりあえず、その魔剣を人工的に作り出せないか試している最中なんだよ。【錬金術】を勉強したのも、魔剣が作り出せないか試すためだ」

そういえば、ガガさんは【獄炎草】とかいうアイテムの作成レシピを探していたんだっけ？

本人は見つからないとか言ってたけど、【錬金術】のレシピ一覧から【獄炎草】を探すと、普通に載っている。だから、あそこの資料室に本当に資料がないか、ガガさんの探し方が悪いかのどっちかだと思うんだよね。

「確か、【獄炎草】のレシピを調べていましたよね？」

【獄炎草】は火の性質を持つ草だって話だったからな。【鍛冶】の素材に使ったら、火の魔剣とか作れねぇかなと思ったわけよ。まぁ、【獄炎草】のレシピ自体がなかったけどな」

「ありますよ、【獄炎草】のレシピ」

「は？」

一瞬、フリーズした後で思い切り首を摑《つか》まれる。いやいや、そんなに頭を揺らさないで！取れちゃう！　取れちゃいますって！　頭！

「あったのか！　【獄炎草】のレシピ！　なんで、それを早く言わねぇ！　そして、俺に教えろ！」

「いや、ミレーネさんと話してましたし！　ぺーぺーの私が口を挟む隙間なんて、とてもなかったじゃないですか！　あと、頭をそんなに揺らさないでください！　そろそろ抜けます！」

あっ。

言ってるそばから、スポンッと頭が抜けた。それを素早く片手でキャッチ。そのままアリウープっぽく自分の首とドッキング。

あー、視界が一瞬ブレて怖かった……。

「ほらー、言ったじゃないですかー。抜けるってー」

「なんか、お前スゲェな……」

ガガさんと親交を深めながらも、私たちは森の中を馬車で進んでいくのであった。

[STATUS]

NPC

ガガ

【種族】ハイオーガ・クラフター（オーガ）
【性別】♂【年齢】382歳

STATUS

【LV】	52
【SP】	2
【HP】	1400/1400
【MP】	410/410
【物攻】	123(+12)
【魔攻】	14
【物防】	70(+12)
【魔防】	52(+15)
【体力】	140
【敏捷】	104
【直感】	47
【精神】	41
【運命】	29

[コモンスキル]

鍛冶LvMAX／中級鍛冶LvMAX／上級鍛冶Lv7／彫金Lv8／木工細工Lv8／細工LvMAX／中級細工Lv6／革細工Lv7／彫刻Lv6／釣りLv4／採掘LvMAX／錬金術Lv8／気合Lv3／鑑定Lv9／収納Lv7

[ユニークスキル]▶鍛冶鬼神の加護

完全な火耐性を持ち、鍛冶に関わる作業の成功率が著しく上昇する。

[種族スキル]▶繊細な指先

生産行動を行った際に生産物の品質が上昇し、成功率が上昇する。

NPC

ミレーネ

【種族】エキドナ（ラミア）
【性別】♀【年齢】567歳

STATUS

【LV】	82
【SP】	25
【HP】	830/830
【MP】	850/850
【物攻】	68
【魔攻】	86
【物防】	70(+5)
【魔防】	91(+5)
【体力】	83
【敏捷】	58
【直感】	52
【精神】	85
【運命】	44

[コモンスキル]

火魔術LvMAX／火魔法Lv7／闇魔術LvMAX／闇魔法Lv3／調合Lv5／鍛冶Lv5／細工Lv8／収納Lv7／錬金術LvMAX／中級錬金術LvMAX／上級錬金術Lv9／魔力操作LvMAX／魔力感知Lv3／威嚇LvMAX／威圧Lv5／交渉Lv8／値切りLv7

[ユニークスキル]▶錬金界の寵児

錬金術関連のスキルの成長速度が通常の3.0倍になり、錬金術関連のスキルの成功率が上昇する。

[種族スキル]▶魅惑の眼差し

視線を向けることで異性の好感度を徐々に上げることができる。気になる殿方がいて、口下手な女性にはオススメのスキル。

閑話　その頃の掲示板1

【真剣】デスゲームについて語るスレ　part11【議論】

[デスゲームの名無し]
で、お前らどんな感じよ？
[デスゲームの名無し]
どんなもクソも街から出てない
[デスゲームの名無し]
同じく。お使いクエで命を繋《つな》ぐ日々
[デスゲームの名無し]
リアルな痛みは運営としては悪手だよな。あれで外に行く人数が減ったし
[デスゲームの名無し]
マジでいてーから、アレ
[デスゲームの名無し]
けど、こうやって俺らがうだうだやってる間にも一部の奴《やつ》らは攻略してるっていうね

[デスゲームの名無し]
頭おかしいだろアイツら
[デスゲームの名無し]
攻略組は今どこ行ってるの?
[デスゲームの名無し]
人族は第三都市までの道を開拓中。魔物族側は知らん
[デスゲームの名無し]
魔物族側も第三都市までの道を開拓中だって聞いた
[デスゲームの名無し]
ほーん。順調ってことね
[デスゲームの名無し]
順調か? ペース遅くね?
[デスゲームの名無し]
ヒント、デスゲーム
[デスゲームの名無し]
自分の命が懸かっているんだぞ。慎重にもなる
[デスゲームの名無し]

それはわかるけどさ。このペースだといつになったら解放されるんだって考えたら……
[デスゲームの名無し]
だったら、お前が頑張れよ……。
なんで他力本願なんだよ……

◆◇◆

【お前たちが】勇者たちについて語るスレ　part15【希望だ！】
ここはデスゲームにもめげず攻略を進めるタフメンタルの持ち主、『勇者』について語るスレです。非常に有《あ》り難《がた》い存在なので、個人的な口撃などはやめましょう。
[デスゲームの名無し]
勇者紹介①
【狂戦士《バーサーカー》】アクセル一味
リーダーの戦士アクセルと、盗賊、魔術師、シスターの四人パーティー。痛覚がリアル設定なのに、モンスターに怯《ひる》みもせずに突っ込んでタゲ取りまくるアクセルが最高に頭オカシイ。

ついたあだ名が狂戦士《バーサーカー》。アクセルが有名だが、パーティーの交渉担当は魔術師のクロウ。コイツも結構キレる奴《やつ》なので交渉事は慎重に

［デスゲームの名無し］

勇者紹介②

【黒姫】一味。

回復系のユニークスキル【聖女】を持つaikaを中心としたパーティー。基本四～六人で組んでいる。タンク、タンク、魔術師、シスター固定で火力が足りない時には野良《のら》の戦士や盗賊をパーティーに入れている印象。とにかく硬い。傷も一瞬で癒やされるので、痛覚設定マックスもそこまで苦じゃない。あとaikaちゃんがふつくしい……

［デスゲームの名無し］

勇者紹介③

【SUCCEED】

プロのゲーマー集団。エースのミタライを中心に数多くのVRゲームをクリアしてきた実績の持ち主。腕も確か。ゲームクリアの本命集団。現在、最効率のスキルビルドを探すために人身御供《ひとみごくう》を募集している。自身のビルドを崩してまで、情報提供したい方はどうぞ

［デスゲームの名無し］

勇者紹介はいいんだけど、これ、魔物族側はいないの？

[デスゲームの名無し]
魔物族側はあまり固定パーティー組んでる奴《やつ》が少ないんだよな。目立つのはいるけど、大体野良《のら》か、ソロ
[デスゲームの名無し]
それでもいいからあげてほしい……
[デスゲームの名無し]
このままだと希望がなさすぎる……
[デスゲームの名無し]
おい、死ぬなよ？　いや、まじで
わかった。あげる
魔物族側勇者紹介①
【サラ】
吸血鬼の双剣使い。見た奴《やつ》がとにかく鬼のように早いと言っているので敏捷《びんしょう》特化で育てているもよう。吸血鬼の特性のためか、夜にしか行動しておらず、固定のパーティーに属していない。結構、人嫌いっぽいので話しかけたりはせずに遠くから見守るのが吉
[デスゲームの名無し]
魔物族側勇者紹介②

【ツナ缶うまいですよ♪】

ソロ専のオーガのプレイヤー。デカい斧《おの》を振り回すから危ないってんでパーティーを追放された後、ずっとソロでやっている。攻撃範囲と攻撃力が群を抜いて高いので近くで戦うと巻き込まれてダメージを受ける。フレンドリーファイアーで死にそうになったけど、戦闘で負けそうになっていたので助かったみたいなよくわからない報告が多数ある。本人は寡黙なにーちゃん

［デスゲームの名無し］

魔物族側勇者紹介③

(*´ω`*)

希少な竜種プレイヤー。高いステータスと自己再生系のユニークスキルを持っているらしく、タンクとして優秀。特に痛覚設定が固定されたことでタンク職が減ったので相対的に価値が上がった希少なプレイヤー。基本野良《のら》でやっていて、固定パーティーはなし。本人にゲームを攻略しようという意識が薄く、普通にゲームを楽しんでいる。めっちゃゲラ

［デスゲームの名無し］

何か、魔物族側は変わり者が多くね？

［デスゲームの名無し］
変人のオンパレード
［デスゲームの名無し］
ゲーム攻略する気がないってｗｗｗ
［デスゲームの名無し］
こんな奴《やつ》らが希望なんて嫌なんですけど……
［デスゲームの名無し］
というか、この状況でゲーム続けられる奴《やつ》はどこかしら頭のネジがとんでるだろ。
アクセルだってそうだし……
［デスゲームの名無し］
アクセルさんを変人の代表に出すのはＮＧ！

◆◇◆

【何でも】ＬＩＡ雑談スレ　part76【ＯＫ！】

［デスゲームの名無し］

おい、聞いてくれ！　街の外でモンスターと戦っていたら、いきなり相方が消えてしまったんだが！
［デスゲームの名無し］
ＰＫ《プレイヤーキル》？
［デスゲームの名無し］
素直に自首しなさい
［デスゲームの名無し］
やってねぇよ！　意味わかんねぇから聞いてるんだろうが！
［デスゲームの名無し］
それ、あれだろ。外部デスだろ。家族かなんかがギアを取り外したんだ
［デスゲームの名無し］
はぁ？　もう二週間以上も経《た》ってるんだぞ！　なんで今更取り外すんだよ！
［デスゲームの名無し］
知らんわ。経済的な問題とかもあるんじゃねーの？　あとは俺たちの世話に疲れたとか
［デスゲームの名無し］
他人事《ひとごと》じゃないんですけど……
［デスゲームの名無し］

家族の足引っ張っているのは確かだよなぁ
[デスゲームの名無し]
おい、誰だよ！　エヴィルグランデで商業ギルド登録できなくした奴《やつ》！　わざわざ次の街まで行っちまったじゃねーか！
[デスゲームの名無し]
自虐風自慢乙
[デスゲームの名無し]
あれ、気になってたが別都市ならいけるのか
[デスゲームの名無し]
ちなみに、エヴィルグランデではまだ塞《せ》き止《と》め中《ちゅう》
[デスゲームの名無し]
生産職やろうと思っていた奴《やつ》ら完全に死亡じゃん
[デスゲームの名無し]
生産職取るには危険を冒して次の都市まで行かなきゃいけないって、普通に自殺行為
[デスゲームの名無し]
次の都市に行くために戦闘用のスキルを取って、生産用のスキルが取れなくなったりするというね……なかなかの苦行

［デスゲームの名無し］
まぁ、やっちまった本人も反省してるんじゃないの？
［デスゲームの名無し］
本人乙
［デスゲームの名無し］
違うってwww　このゲーム、露骨にNPCに好感度あるから今頃ちょっとした嫌がらせを受けてると思うよ？
［デスゲームの名無し］
好感度とかあるんだ？
［デスゲームの名無し］
ギルドの依頼とかこなしていると、明らかに受付のねーちゃんの対応が柔らかくなるじゃん
［デスゲームの名無し］
あー、あれ、気のせいじゃなかったのか
［デスゲームの名無し］
好感度高いと特殊な依頼をされたりな
［デスゲームの名無し］
俺の友達は冒険者のNPCと毎日飲んでいたら仲良くなって、技とか教えてもらったみたい

［デスゲームの名無し］
師弟システムみたいなものがあるのか？
［デスゲームの名無し］
さぁ？　ま、とりあえずNPCだからって、無茶苦茶やって許されるはずはないってことだ
［デスゲームの名無し］
無茶やった奴《やつ》は震えて眠れ
［デスゲームの名無し］
ガクガクブルブル……
［デスゲームの名無し］
お前は何をやったんだよｗｗｗ

◆◇◆

【協力者】ＬＩＡ攻略・考察スレ　part76【募集中】
［デスゲームの名無し］
結局、人族とか魔物族とかモンスターって何なん？

［デスゲームの名無し］
人族：ヒューマン種、エルフ種、ドワーフ種、ハーフリング種
魔物族：人族以外の知性ある言語が喋《しゃべ》れるモンスター
モンスター：知性のない、または言葉が喋《しゃべ》れないバケモノ。人族、魔物族に敵対する存在
［デスゲームの名無し］
へー、そうだったんだ
［デスゲームの名無し］
昔は六大陸をモンスターが支配していた。
でも、五大陸を六大英雄が切り崩して、人族の領土を切り拓《ひら》いた。六大英雄は五大陸それぞれに進出し、そこにそれぞれが国家を築《き》き上げた。始まりの地ファーランドはその六大英雄の一人、勇者アストリアが治めていた地とされている——って、図書館の資料に書いてあったぞ
［デスゲームの名無し］
サンガツ。図書館かー。探せばまだまだバックストーリーが出てくるかもなー
［デスゲームの名無し］
ということは、俺らまだひとつ目の大陸の二、三個目の街でヤベェって言ってるの？　ヤベエじゃん……
［デスゲームの名無し］

三つ目の街まで行ければ、少し楽になるはず。酒場で聞いたけど基本職以外の職業が取れるようになるらしいからな

[デスゲームの名無し]

いや、そこまで行けないじゃん

[デスゲームの名無し]

攻略チームに寄生させてもらいながら、どうにかならんかな？

[デスゲームの名無し]

トップ層って今どれぐらいのレベルなの？　二十超えてる？

[デスゲームの名無し]

十の半ばとは聞いたことがある

[デスゲームの名無し]

仮に攻略トップのレベルが十五だとするじゃん。

そうすると、ステータスは三十上がるんだよな。ランダムだけど。それがたまたまひとつのパラメーターに集中すると、初期値が十だとしたら、四十になるじゃん？　で、その図抜けたパラメーターにレベルアップで稼いだSP三十を全部入れたとすれば、一芸特化の百とかいうバケモノステータスになるわけだ。もし、それが物攻だったりしたら、全敵がワンパンとかになるんかな？

［デスゲームの名無し］

まず、前提からして難しいだろ。あと、攻撃力偏重にしてきた奴《やつ》は何人か見てきたが動きの早いモンスターに苦戦してたぞ。全てワンパンは無理じゃないか？

［デスゲームの名無し］

というか、百程度じゃ無理。せめて千は必要じゃね？

［デスゲームの名無し］

攻略班の話では一点突破のステータスよりは、バランスがとれている方がモンスターに対応しやすいって話だったな

［デスゲームの名無し］

特化型は浪漫《ろまん》！

［デスゲームの名無し］

とはいえ、全てを平たくしていったら弱いだろ？　ある程度、役割に合わせたステータスが求められるよな？

［デスゲームの名無し］

そうなると似たりよったりのステータスになるような……

［デスゲームの名無し］

そこでスキルの出番ですよ

[デスゲームの名無し]
まぁ、バケモノステータスなんて追いかけるものじゃないだろ。基本は死なないようにバランス良くだ
[デスゲームの名無し]
攻略トップ層の何人かはマン振りな気がするんですけど？
[デスゲームの名無し]
アイツらはプレイヤースキルが高いから何とかなってるんだよ。敏捷《びんしょう》にマン振りして、オワタ式で戦えるかって話よ
[デスゲームの名無し]
はえー。やっぱ攻略トップは頭どこかおかしいんやな……

第五章　鍛冶場はつらいよ

馬車に揺られること四時間——。

その小さな建物は、森の奥深くにあった。

「はい、死の宣告完了～っと。ここが、ガガさんの工房？」

「お前さんの意味わかんねぇ馬車について色々と聞きたいことはあるが、まぁ、俺の工房がここかって聞かれたなら、そうだ」

「ほへー」

何だろう。【鍛冶】のスペシャリストの家って話だったから、もっとこう、無骨で総石造りの砦《とりで》みたいな建物かと思ったら、家の壁に蔦《つた》が這《は》ってたりするような、ちょっと古めのお洒落《しゃれ》ハウスだったよ。見た感じ、ジブ○の世界に出てきそうだね。人は見かけによらないっていうのは、このことかな。

「それにしても、なんでこんな森の奥に工房を？　街にも職人街とかあるんでしょ？」

一応、ガガさんの工房はセーフティエリア扱いらしく、モンスターも寄ってこないので、安心して気が抜ける。

うーん、ずっと馬車で揺られていたせいか、まだ地面が揺れている気がするよ。

「そりゃ簡単だ。街じゃ、武器防具の鍛冶職人の立場が弱《よえ》ぇからな。良《い》い場所を紹介してもらえねぇから、自分で作ったんだよ」

「はぁ？　えぇ？　そんなことあります？」

「あるから、こんな僻地《へきち》に工房構えてるんじゃねぇか」

「いや、でも、何で？」

「答えは簡単だ。武具を使って戦う魔物族は弱《よえ》ぇって思い込みが、連中に根付いているからだ」

「そうなんです？」

「そんなわけあるか！　魔王軍最強の四天王様だって本気で戦う時は、それぞれの得意武器を用いて戦う！　だが、魔物族の中には自分の身ひとつで戦うって奴《やつ》が大勢いるんだ。そういう奴《やつ》らが武器を使う奴《やつ》を馬鹿にして言ってるんだよ。まぁ、実際に身ひとつで戦えるような奴《やつ》にとっちゃ、武器なんて小細工のひとつにしかすぎねぇんだろうがな」

「そんなものかなぁ？」

「まぁ、お前さんには、あんまり響いてねぇみたいだが……」

「いや、一番強い人が一番強い状態として武器を使っているんだから、武器あった方が強いに決まってるじゃないですか。なんで武器防具を馬鹿にするのか、意味がわからないですよ。というか、貧乏だから武器防具が買えないだけでは？」

私がきっぱりと言い切ると、ガガさんは虚を突かれたような顔をしてから、おもむろに笑い出した。そして、私の肩をバンバンと叩《たた》く。

「そりゃそうだ！　ツエー奴《やつ》が武器使って一番ツエーんだから、武器使っている奴《やつ》が弱いって理屈は通らんよなぁ！」

「いや、ガガさん。叩《たた》くのやめてください。頭抜けそうです」

「またかよ！　お前さん、頭抜けすぎやしねぇか⁉」

うーん。来る途中に何度かガガさんのツッコミを受けて、ジョイント部分が緩んでいるのかな？　強く押し込んどこうっと。ぐいぐいっと。

「で、この工房で【鍛冶】を教えてくれるんですか？」

「おう、教えてやる。その代わり、お前さんには俺の魔剣作りの手伝いをしてもらうぜ？　魔術も【錬金術】も、どうもお前さんの方が上らしいからな」

「いいですよ～」

むしろ、魔剣の作り方を手に入れるチャンス到来？　私的には、全く問題ナッシングだね！

「とりあえず、家に入って飯にしよう。そろそろ昼だし、腹も減っただろう？」

おー、ご飯！

結構、山の中だから豪快なジビエ料理とか出てくるのかな？

◆◇◆

「これからは、私が作ります」

「え？」

私は馬鹿だ！　大馬鹿だ！　こんなガサツな鍛冶馬鹿にまともな料理が期待できるわけがなかったんだ！

出てきたのは、硬い黒パンに、塩辛い干し肉をお湯で戻しただけの塩スープの二品だけ。旨《うま》味《み》も出汁《だし》もあったもんじゃない！　味も薄い塩味だけだし、コクが全く足りない！　竜の微睡《まどろみ》亭《てい》で鍛えられた私の舌には、とてもじゃないけど堪えられない代物だ！

せめて、野菜！　葉野菜や茸《きのこ》のひとつぐらいはスープに入れても良《い》いんじゃない!?　お肉がボソボソで美味《おい》しくないのなんのって！

と勝手に憤慨してしまったので、もう駄目。これからの料理は私が作ることにしました。ある程度の材料は【収納】スキルで持ってきてるしね！　足りない分はワールドマーケットで買えばいいし！

「いや、なんか、悪《わり》ぃ……？」

「あ、大丈夫です。私が期待しすぎていただけなので。全く問題ないです」

「お前さんって、そこはかとなく毒吐くよな？」

ささっと食べ終わった後の食器を片付けつつ、ガガさんと二人して炊事場で食器洗いだ。

うーん。カトラリーとか、銀食器は良《い》い物使ってるんだけどなぁ。

これって、もしかして自作？

だとしたら、ガガさんって【細工】とかの腕も良《い》いんじゃ？

「さて、飯が終わったら、早速、【鍛冶】の作業に取りかかるぞ」

泡が出る植物の種みたいなものを押し潰しながら、その泡で皿を洗う。

水道は引いてないのか、泡を流すのは水瓶《みずがめ》に汲《く》んである水を使って行われる。水瓶《みずがめ》には魔石で自動に水が溜《た》まるようになっているのか、水の量が減る気配がない。原始的な生活なようで、なかなか不思議な生活だ。流石《さすが》ファンタジーというべき？

「わかりました」

「だが、その前に確認だ。お前さんは【鍛冶】に必要な三要素が何かわかるか？」

「えーと？　炉の温度、素材、水とかですか？」

「バッキャロー！　全然違《ちげ》ぇ！」

泡のついたゲンコツで頭を殴られた。でも、痛くない。

痛そうなのは、拳を押さえて蹲《うずくま》るガガさんの方だ。

「テメェ、硬すぎんぞ！」

「そんなこと言われましても」

「とにかく正解を教えてやる！　正解は、物攻、体力、敏捷《びんしょう》だ！」

どうやら、その三つのパラメーターが【鍛冶】には影響するらしい。

「物攻と敏捷《びんしょう》がねぇと武具の強度が落ちるし、形が歪《いびつ》になる！　体力は熱い素材を弄《いじ》っている間は常に消費されるんだ！　だから、最低でもその三要素は全て育てとけ！　わかったか！」

「はい、わかりました！」

つまり、一流の鍛冶職人はその三つのパラメーターが抜きん出てるってことね。

私はパラメーターが平たいんだけど大丈夫かな？

「つーか、火とか、水とか、素材なんざ、基本中の基本だ！　そんなのは揃《そろ》っていて当たり前なんだよ！」

どうやら、私の答えは誰でも知っている大前提として話していたらしい。

うん。なんとなくわかっていたけど、ガガさん、人に教えるのが抜群に下手だよね？

大丈夫かな？

「とにかく、ごちゃごちゃ言うより実践だ！　体で覚えろ！」

「はい！」

というわけで、実践という名の【鍛冶】チュートリアルの開始だ。

場所を炊事場から工房の中へと移す。

「まずは、作るものを決める。それで材料が変わってくるわけだが、今回はオーソドックスに【鉄のナイフ】を作んぞ。材料は【鉄のインゴット】がひとつだ！」

「インゴット？　インゴットって何処《どこ》で手に入れるんですか？」

「そんなことも知らねぇのか！　ダンジョンとかで【採掘】すりゃ、【鉄鉱石】が手に入る！　そいつを【錬金術】を使ってインゴットに変えれば作れる！　【鍛冶】で作ってもいいが、面《めん》倒臭《どうくせ》ぇから【錬金術】の方がオススメだ！　ってか、ないなら今日は俺のを使え！」

▼取得：【鉄のインゴット】

ほうほう。鈍色に輝く煌《きら》めきが良《い》いですねぇ。そして、スベスベでどこか冷たい。
むふふ。コイツは良《い》いインゴットだぁ……。

「お前、その気持ち悪い笑い方やめろ。そして、頬擦りするんじゃねぇ……」

スッゴい引かれた顔でガガさんに睨《にら》まれる。
そうは言われましてもー。
私も初鍛冶なので、ちょっとテンション上がっちゃってるんですよー。

「ちっ、インゴットは鉄の他にも色々あるが、今回は試しってことで一番安い鉄を使うぞ。インゴット以外は炭と水を用意する。こっちは俺の工房で使っている奴《やつ》を使うから今は意識しなくていい」

　本来は、炭も水も幾つか種類がある中から選ぶとのこと。

　ちなみに、炭はガガさんの自作。家の裏に炭焼き小屋があるんだってさー。リッチ～。

「炉に火を入れたら温まるまで待つ。ちょっと魔術で火が点《つ》くのか確認してぇから【ファイアーボール】を炉の中に撃ってくれ」

「はーい」

　というわけで、炉に【ファイアーボール】を撃ったら、炭が吹っ飛んだ。どうやら、威力が高すぎたようだ。

「使えねぇじゃねぇか！」

「まぁまぁ」

「なんでお前が慰める側なんだよ！」

　めっちゃ怒られた。

　けど、なんとかなだめすかして、普通に点火用の道具を使って火を点《つ》ける。

　そして、ここからがゲームとしての【鍛冶】パートの開始だ。

　どうやら、【鍛冶】作業は三つの工程からなるらしく、それを順番にクリアしていくことで武器や防具が作れるらしい。

　まずは、一つ目の工程である火入れ。

インゴットを火鋏《ひばさみ》で持って炉に突っ込み、インゴットがオレンジ色のエフェクトを飛ばし始めるまで待つ作業。これを開始すると視界の左上にHPゲージが現れ、時間経過と共に徐々に減っていく。ちなみにこのゲージは、炉の近くに行けば行くほど減りが激しくなるけど、インゴットの状態も早く変わるようだ。時短を図ったり、体力に余裕があるのなら攻めても良《い》いのかもしれない。

けれど、今回はチュートリアルなので無理はしないでおこう。

それにしても、私のHPゲージって妙に長くて、減りが遅いんですけど？　これもステータスによる恩恵なのかな？　火に炙《あぶ》られてもびくともしませんよって？　そんなことある？

で、インゴットが赤熱状態になったら、二つ目の工程である鍛造作業に移る。

これは、金床に赤熱化したインゴットを置くと曲が流れてきて、音ゲーが始まる。リズムに合わせてインゴットの一部が白く光るので、そこをハンマーで叩《たた》けば良《い》いらしい。今回は作る物が簡単だからか、余裕を持ってカンカンできちゃうぜ！　ちなみに、私、音ゲー自体はそこそこ得意だし、超余裕！　まぁ、音感とかあんまりないし、音楽自体は苦手なんだけどね！

「よし、ここまでは問題ないな」

ガガさんに太鼓判を押されたところで、赤熱状態のインゴット……もうナイフの形に変わっている……を水に浸《つ》けて冷ます。

というか、インゴットをカンカンやっていた時にも左上のHPゲージが徐々に減っていたので、もたもたやっていると、この時点で作業失敗しちゃうっぽい。

とりあえず、大まかな形ができあがったら、最後の工程である研ぎを行う。

どう見ても布にしか見えないようなヤスリで擦って、ナイフに刃をつけていくのだ。実際の刀鍛冶とかをゲームに落とし込むのは難しかったのか、このあたりの工程はなかなかのファンタジーである。

しかし、この研ぎの工程がなかなかの曲者《くせもの》。

研ぎを始めると、視界の右上に『斬・刺・叩』という文字と数字が表示され、それがナイフを研ぐ度に変わるのだ。多分、私の研ぎの結果によって、この鉄のナイフの性能が変わっていくんだと思う。

『斬』の数字が高ければ高いほど、よく切れるナイフとなり、『刺』の数字が良くなればなるほど突くのに特化したナイフとなるのだろう。『叩』はむしろ、斬れないナマクラということだけど、刃物じゃないものを作る時には必要になってくる要素かもしれない。

というわけで、なるべく良《い》い数値にしようと頑張っていたのだが、頑張れば頑張るほどに総合的な数値が下がっていくような？

「あまり研ぎすぎると耐久値下がるぞ」

そういうマイナスな情報は早めに言ってほしいんですけど⁉

というわけで、ある程度妥協して完成。

うん、完成したんだけど、刃の部分だけなんだよね。持ち手の部分はただの細い鉄の棒でちょっと寂しい。

と思っていたら、ガガさんが木で柄を、そして革で鞘《さや》を作ってくれた。

おぉ、シンプルながらも良《い》い感じ！

「意匠に拘《こだわ》るなら、【細工】【木工細工】【革細工】【彫金】あたりは取っとくんだな。【錬金術】でもできないことはねぇが、仕事が大雑把になる。細かくやるなら、さっき言った四つぐらいは取っとくことだ」

「はい！」

うん、シンプル格好いい【鉄のナイフ】だけど、今の状態じゃ無骨といえば無骨だもんね。というか、柄が木なのでドスみたいに見えて仕方ないよ。むしろ、包丁かもしれないけど。

ちなみに、私の初作品である【鉄のナイフ】のデータはこんな感じ。

【鉄のナイフ】
【レア】４【品質】中品質【耐久】65／65
【製作】ヤマモト、ガガ
【性能】物攻＋7（斬属性）
【備考】何の変哲もない鉄製のナイフ。

ロングソードの攻撃力が12って考えたら、攻撃力7のナイフの切れ味がどれだけ凄《すご》いかわかってもらえるだろうか？　頑張って研いだからね！　その代わり、耐久がちょっと低めだけど。普通の耐久は百ぐらいらしいよ？

「まぁ、インゴットも知らなかった奴《やつ》にしては上出来だろ」

はい、ガガさんからお墨付きをいただきました～！

「じゃあ、明日からもこの調子で頑張りますね！」

「頑張ってもいいが、インゴットぐらいはお前さんで用意しろよ？　無尽蔵で供給してやれるほど、こっちも蓄えがあるわけじゃねぇからな」

………。うぇぇぇぇ⁉

◆◇◆

「嫌だぁ～！　無理～！　死んじゃう～！　鉄鉱石取ってこいって、ダンジョン行けってことでしょ～！　私一人には荷が重すぎる～！　せめて、ガガさんもついてきて～！」

「うるせぇ、バカ！　こっちは炭焼きで忙しいんだ！　場所は教えてやるからテメェで行け！」

ゴネたけど駄目でした！

というわけで、翌日には追い出されるようにして、私はダンジョンに向かっています。

いやぁ、無理だって言ったのにもかかわらず、聞く耳持たずなんだもん。

というか、ろくに戦闘経験もないのに、初ダンジョンにソロで挑むとかバカなの？　こういうのってせめてパーティーで挑むものじゃないの？

ガガさんに聞いたら、今から向かう【水晶の洞窟】は三階層ぐらいのクソ雑魚《ざこ》ナメクジダンジョンだから、私一人でも十分余裕なんだってさ。

それでも！　それでも、ソロアタックは何があるかわからないから怖いんだって！　けど、私の心の叫びはガガさんには届かなかったみたい。

「とりあえず、モンスターに気付かれないように移動しよう」

本当は、湧いて出てくるモンスターをちぎっては投げ、ちぎっては投げしたいよ？　でもさぁ、こんな森の奥だと、どれだけ強力なモンスターが出てくるかわからないじゃない？　無双してたら、いきなりドラゴンが出てきてガブリンチョな展開もあるわけじゃない？

というわけで、私は謙虚に行くことにしました。馬車も使わずに徒歩です。

というか、木と木の間が狭すぎて、馬車で行くとなかなか大変そう。オブジェクト破壊して目立ちたくはないのです！　モンスターを引きつけたくはないのです！

鬱蒼《うっそう》と生い茂る草や蔓《つる》を掻《か》き分《わ》けて進むこと三十分。

まぁ、行きがけの駄賃ついでに、色々と植物系のアイテムも手に入れちゃうけどね！

商業ギルドの生産系の依頼もやること忘れてないし！

とにかく、そんなことをしながらも、ようやく目的地に到着。

突如、木々で塞がれていた視界が開けたと思ったら、目の前には人工的に作ったのかと思うほど垂直な崖が現れた。その崖の一部にぽっかりと人一人が通れるような穴が開いている。マップと照らし合わせて見ても、あそこで間違いはなさそう。

なら、早速といきたいところだけど……。

「何かいる……」

森の中では幸運にもモンスターとの遭遇はなかったんだけど、ダンジョンの入り口にデッカいトカゲが寝転んでいるよ。しかも、頭上に『Ｚｚｚ……』マークが出ている。

トカゲなのかな？　【鑑定】してみよう。

あ、【鑑定】スキルだけど、よくよく書いてあるテキストを確認してみたら、【鑑定】成功時には相手に【鑑定】されたことを悟らせないって書いてあったよ。

なので、ここは相手の対策を練るためにも使ってみようと思う。

一応、バレた時のことを考えて、木の陰からコッソリとだけどね。

▼？？？を【鑑定】します。

▼【鑑定】に成功しました。
【名前】（名無し）
【種族】ロックリザード　【性別】♂　【年齢】■歳
【LV】■　【SP】■
【HP】580／580　【MP】■／■
【物攻】47　【魔攻】13
【物防】■　【魔防】12
【体力】58　【敏捷《びんしょう》】19　【直感】■
【精神】■　【運命】■
【ユニークスキル】（無し）
【種族スキル】石喰《いしく》い
【コモンスキル】噛《か》みつきLv3／■■／硬化Lv3

うーん。【鑑定】のスキルレベルがまだ3だからか、読めない部分が結構あるね。

でも、そこまで強い相手ではなさそう？　特に魔法防御が弱そうだから、魔法で攻めれば割と簡単に倒せるんじゃないかな？

「ふふふ、昨日、ダンジョンに行くと決まって慌てて考えた必殺コンボを今こそ試す時！」

私は木の陰から堂々と姿を現すと、こっそりとロックリザードに向かって近付いていく。

まぁ、寝ていて油断もしているからできる芸当なんだけど……。

それにしても、ロックリザードというのは言い得て妙だね。皮膚というか、鱗《うろこ》？　が大きな岩をペタペタ貼り付けたような感じになっていて、岩山で出会ったら正直どこにいるのかわからないんじゃないかってレベルで小さな岩山だよ。

そして、そんな岩山と取っ組み合いの喧嘩《けんか》をする気はないから、手早く終わらせよう。

「地の底に沈め！【マッディ・グラウンド】！」

私が片手を向けると同時に、ロックリザードの足元が泥沼化し、ロックリザードの巨体が徐々に地面に沈み込んでいく。

「⁉　グヴォォォ⁉」

【マッディ・グラウンド】は【土魔術】Ｌｖ３の魔術。効果時間は短いものの、相手の足元にいきなり泥沼を作り上げる魔術である。設置型の魔術なので、相手の敏捷《びんしょう》が高かったりすると抜け出されてしまう心配があるが、高耐久、低敏捷《ていびんしょう》のロックリザード相手なら相性の良《い》い魔術である。

事実、眠りから目覚めたロックリザードは即座に暴れ始めるが、低敏捷《ていびんしょう》のせいで泥沼から抜け出せないでいる。まさに、ここが攻め時！

「動けないところをトドメ！【ファイアーピラー】！」

これまた設置型の炎の柱がロックリザードを中心に置かれて、相手の体を燃え上がらせる。【ファイアーピラー】は【火魔術】Lv2の魔術で、Lv3の【ファイアーストライク】よりも実はトータルダメージが多い魔術だ。

とはいえ、この魔術は設置型のため、一度範囲外に出られると、まともなダメージが出ないといった欠点もある。それを補う形で使えるのが、地形を味方にできる【土魔術】というわけだ。これで足さえ止めてしまえば、全段フルヒットも狙えると思いついた時は、私は自分で自分の才能が怖くなったね。まさに天才の発想って奴《やつ》ですよ！

え、ありきたり？　気のせいでしょ。あっはっは。

▼経験値168を獲得。
▼褒賞石《ほうしょうせき》52を獲得。
▼ロックリザードの鱗《うろこ》を獲得。
▼ロックリザードの牙を獲得。

▼【バランス】が発動しました。
　取得物のバランスを調整します。
▼褒賞石《ほうしょうせき》116を追加獲得。

▼ロックリザードの肉を獲得。

「うーん、ホーンラビットとは経験値の桁が違うね。強いモンスターだったりするのかな？」

戦った感じは魔術二発で終わりだったし、手応えのようなものは全く感じなかったんだけど。

「ま、いっか」

それよりもダンジョンだ！　初ダンジョン、緊張するなぁ……。

人一人分の入り口を抜けて、いざダンジョンへ！

▼【水晶の洞窟】

視界に一瞬文字が浮かび上がり、空気が変わる。

さっきまではムシムシするような亜熱帯の空気だったのに、ここは少し寒気がするぐらいに涼しい空間だ。

冷気というのかな？

ちょっとした暗がりに入ったようなそんなゾクゾクとした寒さを感じるよ。

ダンジョン的には、岩でできた洞窟タイプだね。ピチョン、ピチョン、とそこら中で音がするので、地下水とかが染《し》み出《だ》していたりするのかもしれない。

何にせよ、雰囲気も合わせて、ちょっと薄ら寒い感じだ。

「あ、アレ装備しないと」

【熟練のツルハシ】
【レア】４　【品質】高品質　【耐久】３００／３００
【製作】ガガ
【性能】採掘Ｌｖ１
【備考】誰もが熟練者のように掘れるようになる鉄製のツルハシ。

なんと、装備するだけでスキルが生えてくるツルハシですよ！　これを持っていれば、私も【採掘】持ちですわ！

というわけで、【採掘】のスキルが生えたからか、至る所に採掘ポイントが見えるようになったよ！　どうやら、ほんのりと光っている部分にツルハシを打ち込めば、素材が取れるみたいだね。

「採掘王に私はなる！」

とりあえず、一人でドン！　としておきながら、片っ端から採掘ポイントを掘っていく。

【採掘】のレベルがもう少し高ければ、一回のポイントで掘れる回数も増えるみたいだけど、現状はＳＰ不足だし、そこは我慢かなぁ。

というか、【細工】も【木工細工】も【彫金】も【革細工】も欲しいし、ステータスに全ＳＰをぶち込みたくなんてなかったよ！

悶《もだ》えながらも洞窟を進んでいたら、第一モンスターと遭遇。

不定形でドロドロの水の塊……。これは、かの有名なスライムさんでは？

▼？？？を【鑑定】します。
▼【鑑定】に成功しました。
【名前】（名無し）
【種族】スライム　【性別】無し　【年齢】■歳
【LV】■　【SP】■
【HP】20／20　【MP】■／■
【物攻】5　【魔攻】5
【物防】■　【魔防】7
【体力】2　【敏捷《びんしょう》】2　【直感】■
【精神】■　【運命】■
【ユニークスキル】（無し）

【種族スキル】分裂
【コモンスキル】溶解液Lv1

うーん、弱い！

ガガさんが、クソ雑魚《ざこ》ナメクジとか言っていたけど、その通りのモンスターだね。

一応、スキルは特殊だから、気をつけるとしたら、その辺かな？　そこまで恐れることはなかったかなぁとちょっとホッとする。

「【ファイアーボール】」
▼経験値7を獲得。
▼褒賞石《ほうしょうせき》5を獲得。
▼スライムの核を獲得。

▼【バランス】が発動しました。
取得物のバランスを調整します。
▼褒賞石《ほうしょうせき》2を追加獲得。

魔術でできた火球をぶち当てたら、一瞬で蒸発してしまった件。これは、セオリー通り、物理には滅法強くて、魔法には弱いみたいな奴《やつ》かな？　戦いやすくて、有り難《あがた》くはあるんだけど、経験値も欲しいからなぁ。

そんなことを考えながら、一本道を進んでいると、やがて開けた空間に足を踏み入れる。

「うぁ、綺麗《きれい》……」

私の目の前に広がったのは大きな湖。その湖面が不規則に揺れながら、キラキラと光を反射している。何かと思ったら、洞窟の天井に水晶がびっしりと生えていて、それが何処《どこ》からか入ってくる太陽の光を乱反射させて、シャンデリアのように光っているんだね。

それを湖面が映し出す姿は、まるで地上にできた星空だ。お酒と一緒にこんな景色を見ながら口説かれたら、ちょっとクラッときちゃうかもしれない。

それだけの美しい景色が私の目の前に広がっていた。

私がその光景に思わず見惚《みと》れていると――。

▼【バランス】が発動しました。

モンスターの出現バランスを調整します。

ゴゴゴ……といきなり洞窟全体が揺れ始める。

え？　何？　嫌な予感しかしないんですけど？

そして、こういう時の予感は当たっちゃうもので――、

ザバーンと湖から水晶でできた巨大な頭が出てきたかと思うと、それ以上に大きな水晶ででできた体が浮上してくる。うん、どう見てもボスモンスター的な奴《やつ》です。

全身に水晶が生えた巨大なドラゴンかな？　あのー、ガガさん？　こんなの出てくるなんて聞いていませんけど？　とりあえず、【鑑定】してみよう。

▼？？？を【鑑定】します。

▼【鑑定】に失敗しました。

あ。絶対アカン奴《やつ》だ、コレ……。

第六章　死闘C《クリスタル》D《ドラゴン》戦！　ヤマモト、暁に死んだり死ななかったり！

「ヒュオオオォォォオォ……！」

仮称、クリスタルドラゴンとしておこう。

うん、クリスタルでキラキラなドラゴンさんに威嚇されているあたり、完全に私のことを敵と見做《みな》してロックオンしているみたいだね。もう話し合いとかできる雰囲気でもないです。

出会い頭の【鑑定】も悪かったのかなぁ？

でも、モンスターにマナーって？　って感じだし。こうなれば、戦うのみ……かな？

…………。

いや、嫌だけどね!?　とんでもなく怖いし嫌だけども！　むしろ、お腹《なか》痛くなってきて、膝ガックガクだけど！　でも、やらないと死んじゃうし！　逃げられる雰囲気じゃないし！

【熟練のツルハシ】を【収納】にしまい、愛用のロングソードを取り出す。

運動神経の悪い私が積極的に接近戦なんて挑むわけがないんだけど、雰囲気って大事だよね？　これだけでもちょっと勇気出た気がするし。

「うー……。覚悟を決めろぉ、私ぃ……」

というわけで、さして何か立派なやり取りもなく戦闘開始。

クリスタルドラゴンさんが大口を開けて迫ってくる中、私は移動しながら【ファイアーストライク】を連打。これが一番弾速早いし、クールタイムが短い魔術だから選択してみたんだけど、当たりはするもののダメージは少ないみたいだ。

クリスタルドラゴンさんは怯《ひる》むモーションも見せずに突っ込んでくる。大口を開けたまま、私を喰《く》らおうとするクリスタルドラゴンさんだけど、私はその動きを難なく躱《かわ》す。

どうやら、直感や敏捷《びんしょう》は私の方が圧倒的に上のようだね。正直、あんなトロい動きだったら、いくらでも躱《かわ》せそうだよ。

馬鹿みたいに突っ込んできては、私に距離をとられて魔術でダメージを食らうクリスタルドラゴンさん。しかし、それを何度か繰り返していたら、クリスタルドラゴンさんの動きが変わる。前脚でドシンドシンと地面を叩《たた》き始《はじ》めたかと思うと、頭上からいきなり大量のクリスタルが降ってきたんですけど！

「これは、流石《さすが》に避け――……ちょっと、そこに突進はズルいでしょ⁉」

スチール製の掃除用具入れに閉じ込められたままで、全力で放り投げられたら、こうなるの？　――って衝撃。

とりあえず、頭が取れないように懸命に片手で押さえながら、後方へ何度も地面にバウンドしながら吹き飛ばされる！　ガンゴンガンゴンと地面に激しく叩《たた》きつけられて、思わず「ぐぇっ」って変な声が出ちゃったよ。全身を金属バットで叩《たた》かれたかのような鈍痛と腫れが私を苛《さいな》み、普通に目から涙が出てくる。

　これだけ痛いのは、いつ以来よ……。

「ひ、【ヒールライト】……」

　光のシャワーを浴びて回復しながら、私は在りし日の記憶を思い出す。

　あれは、親友だと思っていた子から、「私が[redacted]君のこと好きだって知っていたくせに、最低！」と罵られ、思い切り平手打ちを食らった時以来の衝撃だ。あの時は目から星が飛んだけど、今もそれぐらいの衝撃があった。

　というか、○○！　私に好きな子の話なんて一度もしたことなかったじゃん!?　なんで、ソイツの告白を私がフッただけでビンタされなきゃなんないのさ!?

　思えば、アレがキッカケでクラスでも孤立し始めたように思う。それから、すぐに無視とイジメが始まったような……？

　いや、今思い出してみてもなんで私が殴られたのか、全く理解できないんだけど!?

「あぁ、もう！　痛みで動揺しちゃってる！　しっかりしろ、私！　追加の【ヒールライト】！　そして、クールタイム早く終われ……【ヒールライト】！」

　何か色々とフラッシュバックしちゃったよ！

　そして、最後の【ヒールライト】が終わるよりも早く、クリスタルドラゴンさんが反転して、灯台レベルの太さの巨大な尻尾で攻撃しようとしてくる。

あぁもう！　躱《かわ》す時間がない！　耐えるしかないじゃん⁉　いや、耐えられるの⁉　えぇい、男も女も度胸だい！

両腕を上げてガードを固めようとした瞬間、私の脳裏にピキーンとインスピレーションが！

「下から上に受け流ーす！」

烈風を巻きながら迫ってきた巨大な尾を低く腰を落として踏ん張りながら、剣を掬《すく》い上《あ》げるようにして振り、上方向へ力のベクトルを加える！

瞬間、私の両腕にかかる荷重で「あ、これ無理」となりかけるが、攻撃のタイミングが余程ピタリと合っていたのか、超高速で迫ってきた尾はそのまま私を越えて、後方へと飛んでいく！

スキルはないけど、自力パリィに成功した⁉　これは、直感パラメーターさんの仕事⁉　良《い》い仕事するじゃん！

尻尾があらぬ軌道をとったせいか、体勢を崩すクリスタルドラゴンさんを前にして、私はロングソードを片手に、その後ろ脚に斬りつける。

「とりゃー！」

ギギンッ――、金属同士がぶつかるような嫌な音！

思わず耳を塞ぎたくなるが、我慢して二撃、三撃と加えるも効かない！

「もう体勢を立て直し始めてる⁉　強すぎィ！」

そして、クリスタルドラゴンさんの動きも早い。

私はロングソードを【収納】にしまい込むと、今度は【熟練のツルハシ】を取り出して、それをクリスタルドラゴンさんの水晶状の鱗《うろこ》に引っかけると、一気に背中へと跳び移る。普通ならこんなことできないと思うけど、【バランス】さんが良い《い》仕事をしてくれている！　こういう普通のこともできる【バランス】さん最高！

「ヘッヘッへ、背中に馬乗りになって滅多刺しよぉ……」

悪役みたいな台詞《せりふ》を吐き出しながら、改めてクリスタルドラゴンさんの背中を見渡してみると、無数のクリスタルの柱がまるで剣山のように突き出しているのがわかる。キラキラと蒼《あお》く光を反射する様は綺麗《きれい》だなーと思っていたんだけど、なんか微妙に光り方がただのオブジェクトと違う気がするんだけど……？

「――一面が、採掘ポイント⁉」

何で⁉　でも、悔しい！　採掘しちゃう！　採掘王の血が騒いでしまった私は、ドッシンドッシンと上下に揺れて、私を振り落とそうとするクリスタルドラゴンさんの背中でロデオをしながら、手早く採掘ポイントをカンカンしていく！

ここでも【バランス】さんが大活躍！　フッフッフ、今の私はちょっとやそっと揺らされたくらいじゃ落ちないぜー！　そして、ウヒョー！　素材の山だー！

当たるに任せて、私はツルハシを振り続ける。ツルハシが当たったクリスタルは素材判定ということなのか、あっという間にパウダースノーのような白銀の煌めきを空気中に振り撒いて、その場から消えてしまった。そんな幻想的な情景の中でも現金な私は素材に執着し、一心不乱にクリスタルの柱を破壊していく。

周囲を舞う白銀の煌《きら》めき――まるで、朝焼けの濃霧に抱かれているような感覚を覚えながら夢中になってツルハシを振るっていたら、急に手応えが消え失《う》せる。

あ――。

気がついたら、クリスタルドラゴンさんの背中はいつの間にか森林伐採が酷《ひど》い禿山《はげやま》のような状態になってしまっているではないか！

「一体、誰がこんな酷《ひど》いことを！」

はい、私です。

そんなことを言いながらも、武器をロングソードに持ち替えて、クリスタルがなくなったドラゴンさんの背中を滅多刺しにする。

ダメージエフェクトが派手に飛び散り、さっきよりも明らかにダメージの通りが良くなっている。これは、背中のクリスタルを破壊したことで、物防が下がっている？

あと少し！　と頑張っていると、クリスタルドラゴンさんが最後の力を振り絞って、私を背中から放り出す。抗《あらが》おうとしたけど、もの凄《すご》い力で背中を引っ張られた感じで抗《あらが》えない！

というか、システム的に強制的に放り出されたような感じかな？

だけど、【バランス】さんが機能して、私は猫のように華麗に着地！　十点満点だ！

「結構、手応えあったんだけど、そう簡単にはいかないかぁ……」

とか思っていたら、クリスタルドラゴンさんが湖の方に戻ろうとしている！　いやいやいや！　湖に逃げられたら、私としては攻撃手段がありませんから！　逃しませんって！

「逃がすかぁ！　【馬車召喚】！　あんど轢《ひ》き逃《に》げアタ〜ック！」

デンド○ビウムでドリフトを決めながら、クリスタルドラゴンさんを横手から弾《はじ》き飛《と》ばして、その巨体を湖から引き離す。無敵のセーフティエリアの頑丈さをなめんなよ！

それに怒ったのか、クリスタルドラゴンさんが二本脚で立ち上がって威嚇しようとするけど、私の方が早い！

「頭が高ーいっ！　喰《く》らえ！　大★切★ざーん！」

馬車の屋根を踏み台にして上空へと跳び、大上段からの唐竹割りをクリスタルドラゴンさんの頭に叩《たた》き込《こ》む！

私の攻撃が轟音《ごうおん》と共にヒットすると、クリティカルでも入ったのか、派手なエフェクトが飛び散って、クリスタルドラゴンさんの頭が地面に激しく叩《たた》きつけられた。地面に蜘蛛《くも》の巣《す》状《じょう》の罅《ひび》が走り、とても痛そうである！

「よっしゃー！　……あ、スタン状態？」

クリスタルドラゴンさんの頭上に可愛《かわい》らしいヒヨコマークが飛んでいるのが見える。これは

チャンス到来⁉

「一気呵成《いっきかせい》に攻めたててやる～！」

クリスタルドラゴンさんが動けなくなったのを良《い》いことに、ここぞとばかりに【ファイアーピラー】を複数設置しながら、ロングソードで散々頭をぶっ叩《たた》く！　剣術とか持ってないから、完全に力まかせだけど気にしない！

いい加減、終わってー⁉　と私が思い始めたところで、クリスタルドラゴンさんの口から激しい光が……しまった！　ブレス⁉

「来て、馬車ぁ！」

私は慌てて後方に避難すると同時に自走式の馬車を走らせる。足元の水溜《みずた》まりを蹴立てて走った私の馬車は、私に地下水の飛沫《ひまつ》をぶっ被《かぶ》せながらも、その車体ごとクリスタルドラゴンさんの真正面へと飛び込んでくる！　うん、やる時はやる馬車だって知ってた！

「そのまま突っ込めぇ～！」

咄嗟《とっさ》にクリスタルドラゴンさんのブレスを防御できればいいと思っての行動だったけど、若干時間に余裕があるのなら更に攻勢に転じる！　私は馬車を加速させると大口を開けるクリスタルドラゴンさんの口の中へと突っ込ませる！

そして、次の瞬間にはクリスタルドラゴンさんもえずいてしまったのか、網膜を焼くほどの強い光がクリスタルドラゴンさんの口腔《こうこう》から溢《あふ》れ出《だ》し――、

——ドォン！

衝撃が私を吹き飛ばして、私は地面に何度も叩《たた》きつけられながら、ドボンッと湖へと落ちていた。

あばばば⁉　全身痛いし、鎧《よろい》が重くて沈むし⁉

湖底に沈む前に水草か何かを摑《つか》めたのは僥倖《ぎょうこう》だった。それを頼りになんとか湖面へと上がる。

あー……、し、死ぬかと思った……。

「はぁはぁ、ひ、【ヒールライト】……」

息も絶え絶えに元の場所に戻ってきた時には、その空間を七色のポリゴンが無数の蛍のように飛び交い、すぅーっと消えていく光景が広がる。

なにこれ、エモい……。とりあえず、スクリーンショット撮っとこ……。

「はっ⁉　クリスタルドラゴンさんは⁉」

その美しい光景に目を奪われただけでなく、思わずスクリーンショットまで撮っちゃった私は、その存在を思い出したかのようにクリスタルドラゴンさんの姿を探し、そこに煤《すす》で汚れた馬車の姿だけがあるのを見てしばし黙考する。

逃げられた……？　いや、

「というか、自滅……？」

私の言葉に応える者はなく、後に残るのは静かな洞窟に響く小さな水音。

それが戦闘終了を教えてくれているようで、私は思わずその場にへたり込んでしまう。

「やった……？」

途中、ひやりとしたが、何とか勝った？　勝った、みたいな……？

「勝った、のかな……？」

《プレイヤー【ヤマモト】の手によって、ＥＯＤ【クリスタルドラゴン】が退治されました》

▼ＥＯＤ『クリスタルドラゴン』を初討伐しました。

ＳＰ10が追加されます。

▼ＥＯＤ『クリスタルドラゴン』をソロ討伐しました。

ＳＰ５が追加されます。

▼称号【竜殺し】を獲得しました。

ＳＰ５が追加されます。

▼経験値１０２４０を獲得。

▼褒賞石《ほうしょうせき》８２５２を獲得。

▼水晶竜の宝珠を獲得。

▼水晶竜の鱗《うろこ》を獲得。
▼水晶竜の牙を獲得。
▼水晶竜の爪を獲得。
▼ヤマモトはレベルが4上がりました。

▼【バランス】が発動しました。
取得物のバランスを調整します。
▼褒賞石《ほうしょうせき》1988を追加獲得。
▼水晶竜の角を追加獲得。
▼水晶竜の尾を追加獲得。
▼水晶竜の逆鱗《げきりん》を追加獲得。

「うわっ、何⁉　……あぁ、リザルト。ということは、やっぱり勝ったでいいんだよね？　うぅ、死ぬかと思った……。なんか泣きそう……。っていうか、ガガさんのバカ！　やっぱりダンジョンは一人で行くもんじゃないんだよ！　危うく死ぬところだったじゃん！　あと、この経験値とかドロップとか何？　やっぱり強い敵だったんじゃないの？　そして、それを余すところなく取得させてくれるバランスさんって一体……」

レアなアイテムであろうと、ドロップ率を完全無視して全種類をバランス良く揃《そろ》えてくれたみたい？　相変わらずバランスさんはとんでもないスキルだよ！

私がノホホンと構えていたのはそこまでだった。

▼【バランス】が発動しました。

戦闘技術のバランスを調整します。

▼武術流派に【ヤマモト流】が誕生しました。

▼【ヤマモト流】を取得しました。

▼【ヤマモト流】に【轢《ひ》き逃《に》げアタック】が登録されました。

▼【ヤマモト流】に【採掘王に私はなる】が登録されました。

▼【ヤマモト流】に【大★切★ざーん】が登録されました。

「え、いや、何て……？」

バランスさんが発動して、貰《もら》える褒賞石《ほうしょうせき》が増えたり、アイテムが多く貰《もら》えたりするのは想定内。だけど、何？　【ヤマモト流】って？　え、【バランス】さん、ちょっと待って？

私は慌ててステータスを呼び出すと、コモンスキルを確認する。

「ある……。【ヤマモト流】……。なんか生えてる……」

【ヤモト流】

既存の体系のいずれにも属さない自由な攻撃流派。攻撃アシスト系のスキルを持たない場合のみ、この流派を会得《えとく》できる。
※あなたが宗主です。スキル取得者が会得《えとく》できる技をあなたは任意で登録できます。
Lv1　【轢《ひ》き逃《に》げアタック】
Lv2　【採掘王に私はなる】
Lv3　【大★切★ざーん】

「何これぇ……」

とりあえず、【大★切★ざーん】は、【大★切★斬】にスキル名を変えてっと……違う、そうじゃない。

「もしかして、私の攻撃方法が自由すぎて、既存のスキルデータと全く合致しないから、バランスさんが既存のスキルデータ群とバランスを調整して、私の戦い方をスキルのひとつとして、体系化させちゃったの……？」

バランスさんは、基本はより大きいものとバランスをとって、小さいものを大きいものに引き上げる特徴がある。そう、例えば、経験値と褒賞石《ほうしょうせき》の関係とかね。

今回も多分そのケース。

沢山のスキル群と私が使った自由な攻撃……普通なら私の攻撃はスキルとも呼べないシロモノなんだけど、バランスさんに言わせると特殊攻撃のくせにスキルに分類されないのは気持ちが悪かったみたい。

なので、バランス調整した結果、私の特殊攻撃はスキルとして成立しちゃったってこと、なのかな？　まぁ、そういうものとして認識するしかないのかも……。

「いや、やっぱり、このユニークスキルおかしいよ！」

許容できることにも限度があるよ！　絶対、このスキルおかしいから！

とりあえず、湖に向かって思い切り「おかしいからぁぁぁぁ！」って叫んだら落ち着いた。

ふぅ、現状を把握しよう。

「受けたダメージは……回復魔術の効果もあってほぼなし？　そんなに攻撃力が高くないモンスターだったのかな？　凄《すご》く強そうっていうか、強かったんだけど……」

そして、私の【収納】には大量の【水晶鋼】とかいう見たことも聞いたこともないアイテムが入っている。多分、クリスタルドラゴンさんの背中を丸裸にした時に【採掘】したものっぽいね。あとは、クリスタルドラゴンさんのドロップアイテムが多数。

でも、そんなに数がないから、迂闊《うかつ》に生産作業で使えなそうかな？　ここぞってところで使うべき？　でも、私、意志が弱いしなぁ。

「まぁ、今はとりあえず、採掘の続きでもしよっと。そもそも、【鉄のインゴット】を作るためにここに来たんだし……」

そう。クリスタルドラゴンさん関連のアイテムは大量に手に入ったんだけど、肝心の【鉄鉱石】が全然足りていないのだ。

私は【熟練のツルハシ】を【収納】から取り出すと、いつの間にか復活している複数の採掘ポイントを見つめながら、新たに取得したスキルを発動する。

「【採掘王に私はなる】！」

ガガガガガガ！

「おぉう、スッゴ……」

一瞬で、目に見える範囲の採掘ポイントが全て【採掘】完了したんですが……。

これが戦闘用スキルという頭のおかしさよ！　超便利スキルじゃん！

「うんうん。ヤマモト流は生産者に便利な流派を目指していくのだ！」

一人でうんうん頷《うなず》いていたら、視界の端に突然のフレンドコールのお知らせ。

ちょっとビクゥッとなりつつも、特に相手を確認もせずに通話許可ボタンをぽちっと押す。

「はろはろ～、タツさん？　何～？　お金の無心～？」

そう、私のフレンドってまだタツさんしかいないからね！　名前なんて確認しなくても、タツさんだってわかっちゃったよ！　ちょっと悲しいね！

『いや、ヤマちゃん、何やっとんの⁉』

「何って……【採掘】だけど？」

『いや、今、ワールドアナウンスでヤマちゃんの名前が出てたで！　なんか、ＥＯＤ倒したとかなんとか……』

いや、そんなこと言われましても……。

とりあえず、タツさんにワールドアナウンスに自分の名前が出ないようにする方法を教えてもらった。これで、今後、私が何かしてもワールドアナウンスされないから安心だ。

というか、私の名前がワールドアナウンスに流れたってことは、私、有名人？　何か顔を隠すアイテムとか作った方がいいかな？

『で？　何やったん？』

顔を隠す前に、タツさんには洗いざらい吐いて、色々と巻き込ませてもらいましょうかねー。

うんうん、それがよろしいと、私の中のバランスさんも言っている気がするよ。

気がするだけだけどね！

閑話　その頃の掲示板2

【いつ】デスゲームについて語るスレ　part27【終わるの?】

[デスゲームの名無し]
LIAの料理は美味《うま》いけど、もっとジャンキーな物が食べたい……。
テリヤキバーガー、フライドチキン、ポテチ……
[デスゲームの名無し]
やめろ。腹減る
[デスゲームの名無し]
自分で作れwww
[デスゲームの名無し]
バーガーだったら屋台で出てたぞ。第二都市だけど
[デスゲームの名無し]
エリアボス倒せる気がしません
[デスゲームの名無し]

口だけのトーシロで草ｗｗｗ　おや？
［デスゲームの名無し］
草に草生やすな。ん？
［デスゲームの名無し］
お？
［デスゲームの名無し］
何？
［デスゲームの名無し］
え？
［デスゲームの名無し］
ワールドアナウンス？
［デスゲームの名無し］
え？　ヤマモト？　誰？
［デスゲームの名無し］
久し振りだなー、ワルアナ。第二都市のエリア開放以来か？
［デスゲームの名無し］
いや、それだけかい！　何かエリア開放とかないの？　ないんですか……？

ヤマモトって誰？　勇者スレにも載ってなかったよな？
［デスゲームの名無し］

新たな勇者の誕生だ！　祭りじゃ！　祭りじゃ！
［デスゲームの名無し］

勇者スレ見てくるかー
［デスゲームの名無し］

ってか、ヤマモトって名前なんなの？　ファンタジー世界でわざわざつけるかね？
［デスゲームの名無し］

バリバリの騎士の見た目でヤマモトだったら笑ってしまうかもしれんｗｗｗ
［デスゲームの名無し］

あれだろ、勇者〇〇〇みたいなもんだろ
［デスゲームの名無し］

で、ＥＯＤって何？　聞いたことないんだけど？
［デスゲームの名無し］

クリスタルドラゴン？　こんな序盤からドラゴンが出てくるのか……
［デスゲームの名無し］

案外、ドラゴンのプレイヤーが狩られただけじゃねｗｗｗ
[デスゲームの名無し]
いや、それ笑えん。プレイヤー同士での殺し合いが起きてるってことじゃん
[デスゲームの名無し]
一部では、ＰＫ《プレイヤーキラー》もいるらしいぞ。マジ混沌《こんとん》としてる。早くデスゲーム終わってくれ……
[デスゲームの名無し]
こういう時に運営に助けを頼みたいんだが肝心の運営がデスゲームを運営してるというね
[デスゲームの名無し]
ＥＯＤが何なのか考察班にでも聞いてみるかー

◆◇◆

【Private】オラクルルーム【pswd はいつもの】

[デスゲームの裏ボス]
まさか、開始二週間でクリスタルドラゴンがやられるとはねぇ
[デスゲームの裏ボス]

だから、ボクは言ったんだよ！　クリドラはもっと殺意マシマシでいいって！　ブレス連打して、視線だけで相手をクリスタル化させる凶暴さが必要だって！

[デスゲームの裏ボス]

いや、誰がクリアできるんだ、それ……。そもそも、クリドラは初心者御用達《ごようたし》の水晶の洞窟に配置してるんだぞ？　あそこはレベル上げ目的の駆け出しプレイヤーと【採掘】持ちのプレイヤーが集まる予定だったんだ。そんなトコに殺意マシマシのＥＯＤを置いて、誰がクリアできるというんだ

[デスゲームの裏ボス]

ＥＯＤ……Enemy of Death。直訳すると、死の敵。

まぁ、そのエリアではあり得ないほど強いモンスターで正攻法で戦ったらまず勝てない。脳筋を懲らしめる意味で配置しているモンスターなんだけどなぁ……倒すか、普通？

[デスゲームの裏ボス]

普通は逃げるよ、ボクでもそうする

[デスゲームの裏ボス]

もしくは隠れてやり過ごすかだよなぁ

[デスゲームの裏ボス]

まぁ、クリスタルドラゴンはそれなりに攻略法のあるＥＯＤだから、勝てない相手でもない

でしょ。攻撃力控えめにして、物防、魔防を高い値に設定した高防御型のEODだし。体力型でもないから倒しやすい方でしょ。確か、防御面に関しては両方五百超えてるよね？
［デスゲームの裏ボス］
攻撃力控えめ？　物攻だけでも百五十はありましたよ……
［デスゲームの裏ボス］
防御に比べたら優しい値でしょ
［デスゲームの裏ボス］
一応、防御力を落とすギミックも用意していたから、プレイヤーがそれに気付いたんじゃないか？　それにしたって、最低値で物防、魔防が五十くらいは残っていたはずだが……
［デスゲームの裏ボス］
現状の攻略トップというのは、エリア3に行けてないんでしょ？　攻撃力的には三十前後もあれば良《い》い方じゃない？　武器込みで五十～六十。倒せなくはないでしょ
［デスゲームの裏ボス］
待て。プレイヤー名は一人しか表示されなかった。つまりは、ソロじゃないのか？
［デスゲームの裏ボス］
超絶技巧のゲームプレイヤーならノーダメでいけるだろ。いける……よな？
［デスゲームの裏ボス］

いや、そもそも防御力をダウンさせる方法もアレだろ？　暴れるクリスタルドラゴンの上でロデオしながら、【採掘】するとかいうとんでもない方法だっただろう？　戦闘スキルが超絶技巧でありながら、【採掘】もできる生産プレイヤーだって？

［デスゲームの裏ボス］

どんなプレイヤーなんだ、そのヤマモトというプレイヤーは？

［デスゲームの裏ボス］

わからないね

［デスゲームの裏ボス］

マザーに調べさせれば、一発でプレイヤーデータぐらいはわかるんじゃ？

［デスゲームの裏ボス］

1プレイヤーのデータだけを覗《のぞ》くのはバランスが悪いとか言われて断られたんだが……。

なんだ、バランスって……

［デスゲームの裏ボス］

マザーが断る？　そんなことがあるのか？　まぁ、管理者権限はあっちに預けてあるから、何かしらの意図があるんだろう

［デスゲームの裏ボス］

そもそも、こっちだけが一方的に相手の情報を見ることがフェアじゃないと考えたのかもし

れないね。
[デスゲームの裏ボス]
AIが優秀すぎると私たちでも予測できない動きをするな
[デスゲームの裏ボス]
だが、これは私たちの希望に添うものでもある。プレイヤーもゲームを命懸けで遊んでくれているのだから、こちらもズルはなしだ。これは、デスゲームをやると決めた時からの私たちの願いでもある。だから、こちらも命懸けで迎え討つぞ
[デスゲームの裏ボス]
つまり、当初の予定通りにことを進めていくのね。りょうかーい
[デスゲームの裏ボス]
頼むから、この序盤でチョンボはするなよな?

第七章　新たな勇者ヤマモトとおかしな素材たち

クリスタルドラゴンを退治してから一週間――。

その間、私は引き籠もるようにして、ガガさんの工房でひたすらに剣を打っていた。

タツさんが言うには、どうやら街では魔女狩りならぬ、ヤマモト探しが始まっているらしい。

どうも、魔物族プレイヤーの中でもトップ層と呼ばれる人たちがいるらしいんだけど、その人たちがとにかく自由な人たちで、攻略に全く協力的ではないらしい。

いや、協力的ではないというか、癖が強すぎて枠に収まらない？　何かそんなようなことをタツさんは言っていたような気がする。

で、攻略に協力してくれそうな人物として、急遽浮上《きゅうきょ》したのがＥＯＤ殺しのプレイヤーことヤマモトというわけだ。

人物像は謎ながら、ドラゴンすらも倒す実力者。交渉次第では一気に攻略が進むかもしれないということで、現在攻略を進めている魔物族プレイヤーが躍起になって探しているという。

一応、人族側も探しているようだけど、人族側は魔物族側よりも必死じゃないんだって。

それは、人族側のトッププレイヤーが攻略に手を貸しているからなんだそうだ。

まぁ、そんな話を聞いたので、私としては極力街には近付かないようにしている。デスゲームの被害が広がるのは申し訳ないとは思うんだけど、私はスーパーヒーローじゃないからね。

そういう目立つのは、英雄思想に取り憑《と》かれた承認欲求の塊くんがやればいいと思うよ。

あと、私は気楽にゲームが楽しみたい。誰かの思いを受けて頑張るとか、そういうのは柄じゃないし、遠慮したいというのが本音かな。

というわけで、のんびりと、【鍛冶】暮らしのアリ〇ッティをしていたら……。

▼【彫金】スキルLv1を取得しました。

やった！　やったよ！　剣身に地道に絵柄を刻み込むこと一週間！

ようやく、【彫金】スキルを手に入れましたぜ！　へっへっへっ！

▼【バランス】が発動しました。
スキルのバランスを調整します。
▼【彫刻】スキルLv1を取得しました。
▼【バランス】が発動しました。
スキルのレベルバランスを調整します。
▼【彫金】スキルがLv4になりました。

▼【彫刻】スキルがLv4になりました。

うん、まぁ、いつも通りの【バランス】さんのバランスブレイクっぷりは置いといて……。
【細工】を取るまでは結構早かったんだけど、どうも【彫金】がなかなか取れなかったんだよね。

どうやら、【細工】は適応範囲が広いらしくって、【料理】をやっていても、【鍛冶】をやっても【細工】の経験値が入るっぽいんだけど、【彫金】は、本当に金属に彫刻を施すことでしか経験値が入らなくて一週間もかかっちゃったよ。
最初は鍔《つば》とか、剣身の一部とかにちょこっと【彫金】を施していたんだけど、あまりに経験値が入らなすぎて、最近では剣身にデカデカと【彫金】を施す始末。
ガガさんには、「それ、斬る時にモンスターの骨とかに引っかかって、逆に使いづらくね？」とか言われたけど、経験値稼ぎのためだからね！　仕方ないね！

「ふ〜、できた〜」

いつも通りに【鉄のロングソード】一本を仕上げて、休憩する。

「それにしても、【バランス】さんの壊れっぷりよ……」

休憩をとりながらも、しみじみと最近の出来事を思い返す。

【鉄鉱石】を掘っていたら、【採掘】が生えて、やったー！　とか思っていた次の瞬間には、

【採取】が追加されーの……。【細工】が取れた！　やったー！　とか思っていた次の瞬間には、【革細工】と【木工細工】が追加されーの……。

関連あると思ったら、何でもかんでもスキルに追加してくる【バランス】さんの壊れっぷりが酷《ひど》い！　もっといえば、それを容認する運営がおかしい！　あ、デスゲーム開始するぐらいだから、最初からおかしかったわ。

「おう、邪魔するぜ。えぇ？　またロングソード作ってんのか？　いい加減に飽きねぇ？」

工房内に炭を運んできたガガさんが眉根を寄せて、そんなことを言う。

「私用のロングソードを打つための練習を兼ねているんで。あと、結構、売れてますし」

私の習作は、ワールドマーケットを通して販売している。勿論《もちろん》、匿名で出品しているのだが、凝った意匠が気に入られているのか、意外と売り上げは良《い》い。

特に今は街に行けない状況なので、ワールドマーケットで売買ができるのは凄《すご》く有《あ》り難《がた》い限りだ。

有《あ》り難《がた》いといえば、ワールドマーケットには、結構食品とかも並んでたりするから、料理のために買ったりもしてるんだよね。新鮮な魚とかも売ってたりするんだけど、海で素潜りでもしてる人がいるんだろうか？　もしくは川？

「そういうガガさんこそ、魔剣の方ちっとも進んでないじゃないですかー」

「ちっともじゃねぇよ！　一応、ちょっとずつ進んではいる！　まだ色々と可能性を探っている段階なんだよ！」

ガガさんのお手伝いで魔剣造りは何度か協力したけど、製作は難航している。

まぁ、手順も何もないものをイチから作ろうっていうんだから、それも当然なんだけどね。

マニュアルが欲しいですよ！　マニュアルが！

「それで、何か閃《ひらめ》いたんですか―？」

「流石《さすが》に全てを鉄で作ろうと考えたのは虫が良すぎた。だから、ちょっとだけミスリルを使おうと思っている」

「ちょっとだけじゃ失敗するんじゃないですか？　フルミスリルでいきましょうよ～」

「ミスリルは単体だと脆《もろ》いんだよ！　だから、合金にして使うしかねぇの！　あと、クソほど高《たけ》ぇから沢山使えねぇんだよ！」

つまり、
・ただでさえ、魔物族は武器を使わない者が多い
・即《すなわ》ち、ガガさんの懐《ふところぐ》具合《あい》もお察し
・そして、ミスリルはガガさんの懐《ふところ》に優しくない
ということなんだね。

「ガガさんが魔剣作りで破産したら、ガガさんの工房を私が買い取ろうかな？」

「うるせぇ、黙れ！」

ポカリとやられるが、相変わらず痛くない。これ、もしかして、私の防御力が高すぎるせいなのかな？　ガガさん、拳押さえちゃってるし。

「まぁ、魔術系のお手伝いが必要なようなら言ってください。手伝いますよ？」

「コイツ、涼しい顔しやがって……」

「それじゃ、またロングソード作ろうかな？」

「もういいだろ！　ロングソードは！」

ガガさんに怒られてしまった。

まぁ、確かに【彫金】も取れたし、これ以上、ロングソードに拘《こだわ》る必要もないかな？

「というか、お前さんは、その明確な弱点をどうにかした方がいいんじゃねぇのか？」

明確な弱点？　何のことだろう？

「なに、『何言ってんだコイツ？』みてぇな顔してんだよ！　頭だよ！　頭！　その抜けやすい頭をどうにかしろってんだ！」

そういえば、ガガさんの前では結構な頻度で、頭がグラグラしているのを見せている気がする。

いや、ガガさんが殴るのがいけないんだけども！

でも、戦闘中とかに、いきなりすぽっと抜けても困るから、ガガさんの言うことはもっともだとは思う。うーん、じゃあ兜《かぶと》でも考えてみる？

「わかりました。それじゃ、ロングソードを打つのをやめて、頭装備でも作ってみます」

「そうしろ、そうしろ。毎日毎日、取り憑《と》かれたようにロングソード打ってる姿は気味が悪いったらありゃしねぇ。そっちの方が断然健全だ」

というわけで、本日は頭装備を作っていくことにしまーす。わー、拍手ー。

人を妖怪ロングソード打ちみたいに！　もーっ！

「なに、一人で拍手してんだよ……」

「気分を盛り上げているんです。黙っていてください」

「兜《かぶと》を作るのが、そんなに気の滅入《めい》る作業なのか……？」

気が滅入《めい》るというか、気分の問題なの！

さて、まずは必要な機能を洗い出そうかな。

まず、必要なのは首周りを守る装甲かな？　首に直接の衝撃を受けると、頭がすっ飛んでいきかねないからね。防護するためにも必要でしょ。あとは、普通に頭全体を守るヘルメットみたいな構造？　それを首周りの部分と連結することで、首から外れなくなると思うけど……でも、デザイン的にアレだねぇ。

ほら、私の首から下の格好って、肩出し、腿出《ももだ》しの、ちょっとエロカワな鎧姿《よろいすがた》なんだよ。それなのに、頭から上をバケツみたいなフルフェイスヘルムで覆う？

バケツ頭のエロカワ騎士です！　……いや、どう考えてもカッコ悪いよ！

頭隠して尻隠さずみたいなアンバランス感が酷《ひど》い！　ウケ狙いならわかるけど、ウケを狙うにしても鎧《よろい》の方が本気《ガチ》すぎる！　ダメだ！　ここはもっと構想を練るべきだよ！

「うーん」

久々に、煮詰まりつつも考える。

要するに、頭と首が分離しなきゃ良《い》いんだから、首輪みたいな物でも良《い》いんじゃないかな？　いやでも、首が抜けるのを防ぐための首輪って、どれだけギュウギュウに締め付けなきゃいけないの？　喉が痛くなりそうなのはちょっとね。

そして、デザインを考えること一時間。

ようやく、アイデアがまとまったので、魔剣作りに悩んでいるガガさんに相談する。

「ガガさん、目釘《めくぎ》って知っていますか？」

「あ？　なんでぇやぶから棒に？　俺に知識的なこと尋ねんな。全て感覚でやってるんだから、知るわけがねぇ」

ガガさんはそういうタイプだよねぇ。計算とか、メモとかしてるトコ見たことがないもん。私はちょっと気付いたりしたことはシステムでメモを呼び出して、ちょいちょい書き込んだりはしてるよ。ガガさんみたいな天才じゃないからね。

というわけで、ガガさんに目釘《めくぎ》について教える。まぁ、日本刀の刀身を振ったりした時に、すっ飛んでかないようにするためのストッパーだね。

「ふーん。それがどうしたってんだ？」

「今から頭装備作るんですけど、私の鎧《よろい》の首裏辺りに接続部を引っ付けてほしいんですよ。そこに縦棒を挿し込んで、最終的に目釘《めくぎ》を打ってもらえると助かるなーって」

「全然、話が見えねぇ……」

仕方ないので、ガガさんにもわかりやすいように、図を描いて説明する。

私の考えではこうだ。

まず、鎧《よろい》の首裏に一面を開けた名刺入れみたいな箱を作る。その箱の開いている部分を上にして、そこに細長い板（卒塔婆《そとば》みたいなもの）を挿し込む。細長い板には金属でできたサークレットが溶接されており、それが私の頭から少しだけ浮いた状態で頭を囲んで防護。これで頭が抜けてもサークレットに引っかかるので吹っ飛ばない、といった仕組みである。

「なるほどな。鎧《よろい》の部分と繋《つな》げちまうのか」

「できますかね？」

「首裏に接続部分を付けて目釘《めくぎ》を打てばいいんだろ？　楽勝だ。まぁ、ただ……」

「ただ？」

「作ってみねぇとわからねぇが、結構、変な見た目にならねぇか？」

うっ。そ、そうかな？

「とりあえず、やってみないとなんとも」

「おう、やれやれ。人生はトライ&エラーの繰り返しだ」

人生って。そんな大袈裟《おおげさ》な話じゃないんだけどなぁ。

というわけで、なるべくサークレットをお洒落《しゃれ》でスマートな感じで作り始めるためにも、私の頭のサイズを採寸し、そこから少し余裕を持たせた形で作り始める。

当初は頭回りを囲むような宇宙ステーションのイメージで作っていたけど、薄さやデザインに拘《こだわ》っていった結果、なんかどんどんと凝ったティアラみたいな感じになってきた。

「というか、そっちのティアラの方がテメェに美しさで負けるってヤベェな……」

ちょっと試作したティアラを装備してみた姿をガガさんに見せた時の感想である。

それって、私が頑張って作ったティアラがショボイってことだよね？　全然ダメじゃん！

ちなみに、現在は火入れ、鍛造、研ぎが終わり、彫りの状態となっている。

素材が鉄とはいえ、綺麗《きれい》な出来栄《できば》えにしたかったので、丁寧に研ぎを重ね、煌《きら》めきが出てきたところで、【彫金】でひたすら模様を彫っている最中だ。最初に枠部分をきちんと彫って決めておいて、枠内にデザインを大雑把に刻んだら、後はひたすら細かく仕上げていく作業である。

こういうのは、浅く彫るよりも深く彫った方が迫力出るし、遠目にも目立つんだよね。

というわけで、ひたすら繊細に、でも力強く彫っていく。

フッフッフッ、こういう時のための物攻百オーバーなんですよ！　見た目は小娘の細腕でも中身は筋肉がぎっしりと詰まっているのです！　あ、やべ。深く彫りすぎて穴空いた。いいや。スケルトン的なデザインということで、所々、穴を空けてカッコよくしようっと！　あっ⁉

　そして、集中すること五時間――、一個失敗したけど……ようやく完成！

　向かって左に繁栄の蔓草《つるくさ》を、右に翼をイメージしたスマートなデザインを左右非対称《アシンメトリー》に配置してみた。格ゲーのキャラなら左右非対称でもちっとも怒られるけど、これは自由がウリのＬＩＡ《Life is Adventure》。こんな細かなデザインをして、左右非対称でもちっとも怒られない！

　で、所々、穴を空けすぎたせいで防御力はほぼお察し。

　いいの、いいの！　防具としての機能はほとんど求めてないから！　頭が飛ばないためのストッパーとしての役割しか期待してないから！　そういう意味でも頑張ってね、サークレットちゃん。

「よし、できた！」

　それにしても、手作業でやっていたからか、思ったよりも時間がかかっちゃったね。後は、これを卒塔婆《そとば》――じゃなかった、平べったい棒に溶接して、鎧《よろい》の背面にくっつける接続部を作ればオッケーだね。

　私のできあがりの声に気付いたのか、ガガさんも難しい顔をして、眺めていた剣から顔を上げる。

「お前は何だ？　貴族か王族でも目指してんのか？　そんだけの繊細な仕事、一般人が身につけるシロモノじゃねぇぞ?」

「いや、私、一応、首なし騎士ですので」

「だったらいいのか?　いや、いいのか?　なんか納得いかねぇ……」

そう言われましても……。

でも、王族や貴族が身につけるレベルだって言われると、ちょっと嬉《うれ》しいかな。

ガガさん、口は悪いけど、思ったことは素直に言葉にしてくれるから、それだけ私の仕事を褒めてくれているってことだからね。なんか認められたみたいでちょっと嬉《うれ》しいな。

「それより、腹減ったわ。飯にしようぜ」

「じゃあ、今日はシーフードグラタンにしましょうか。あ、炉の火は落とさないでくださいよ?」

「わかった。お前さんの作る料理はウメェからな、期待しているぜ」

……………。

なんで、こういうことサラリと言うかなー?

そして、それを聞いて、ちょっと嬉《うれ》しくなっている自分がチョロすぎなんですけど!　むー、ガガさんの分、少しだけ多くしてあげよう!　もう、仕方ないなぁ!

◆◇◆

「そういえば、ガガさんの魔剣の方はどんな感じなんですか？」

食後の一服をして、ガガさんの険が取れたところで尋ねる。機嫌の悪いガガさんに、気軽に話なんて振れないしね。殴られるのが目に見えてるし。

「ミスリルを使って剣を作るって言ってましたよね？」

「おう。ミスリル合金はできたし、それで剣も打った。けど、魔剣にはならなかったな」

「やっぱり、混ぜるミスリルが少なかったんですか？」

「あのなぁ……。ミスリルは混ぜる量が多ければ多いほど良《い》いってワケじゃねぇんだよ。適量があんだ。今回はその適量を混ぜた上で、【獄炎草】の灰を剣を打つ時に混ぜてみたんだよ」

「えっと、どゆこと……？」

「ちったぁ考えろよ。ミスリル合金には魔力を通しやすい性質がある。そこに、炎の属性を宿している【獄炎草】を混ぜて打ったんだ。予定では、炎の魔剣ができるはずだったんだが……」

普通の【ミスリルの剣】ができあがったと。

「俺の予想じゃ、ミスリルの相方に選んだのが【鉄のインゴット】だったのが悪かったのか、

【獄炎草】のアイテムレベルが低かったかのどちらかじゃねぇかと睨《にら》んでるんだが……」

【獄炎草】は炎の属性を宿すといっても、所詮は商業ギルドのD級レシピに載っている存在なので、ガガさん曰《いわ》く「ミスリルって高級素材に気後れして、効果を発揮できなかったんじゃねぇか」ということらしい。

一方のミスリル合金に関しては、合金の相方に鉄を選んだのが、もしかしたら魔力の伝達を阻害して、【獄炎草】の効果を発揮しきれなかったのかも、とのこと。

ガガさん的には、どちらかの問題を解消して、再度挑戦したいみたいなんだけど、【獄炎草】を超える素材にも、魔力伝達力に優れた合金用の素材にも心当たりがないらしく、頭を抱えているという状態のようだ。

うーん、魔力伝達かぁ。魔力、魔力……ん？

あれ、どこかで聞いたことあるような気が……？

——あ！

「あのー。ガガさん、コレ使ってみます？」

【水晶鋼】

【レア】７　【品質】高品質

【性能】生産素材

【備考】魔力を含む鉱物を好んで食べる生物から稀《まれ》に取得できる鉱物。高い魔力と鉱物の如《ごと》き硬さを誇り、加工するのも難しい。

【鑑定】のレベル上げで、手に入れたアイテムを片っ端から確認していた時に、そういえば、こんなフレーバーテキストを見ていたのを思い出したんだよね。

私が【収納】から【水晶鋼】を取り出して、ガガさんに手渡すと、ガガさんは難しい顔をして【水晶鋼】を見つめ始める。

半透明の、見た目がガラスにも見える鉱物だから、不審に思ったのかもしれない。

「なんだこれ？」

「【水晶鋼】っていうアイテムなんですけど、それなら高い魔力を含んでいるみたいなんで、魔剣の素材に丁度良《ちょうどい》いかな〜って」

「聞いたことも見たこともねぇな。希少な物じゃねぇのか？」

「結構希少だとは思いますけど」

だけど、私の【収納】の中にはゴロゴロ入っているんですよぉ〜とは言えずに言葉を濁す。

ガガさんには、クリスタルドラゴンの一件は話してないんだよね。言っても信じてくれなそうだし、ポカリとやられるだけだってわかっているからね。君子危うきに近寄らずってね。

「ちっ、わかった。言い値で買ってやる」

どうやら、【水晶鋼】はガガさんのお眼鏡に適《かな》ったみたい。

けど、お金よりは……。

「だったら、その【水晶鋼】を使って打った魔剣が欲しいです。ちょっと強い武器が欲しかったんですよ」

「魔剣にならねぇかもしれねぇぞ？」

「でも、ほぼA級の鍛冶師が打つ剣でしょう？　魔剣にならなくても、ミスリル合金を使って作った剣だってだけでお釣りがきますよ。むしろ、もう少しくらいなら追加で【水晶鋼】を出しても良《い》いくらいです」

「言ったな。追加であと五つ出すなら打ってやる」

「いいですよ、はい」

私が【収納】から軽い感じで【水晶鋼】を取り出すと、ガガさんは目を丸くする。希少な物の割に扱いが雑だったのがいけなかったのだろうか？　驚いている感じだよね？

まぁ、私としても希少な物だから、そんなに出したくはないんだよ？

でも、現状、私の【鍛冶】レベルでは【水晶鋼】はインゴットに変えることもできない死蔵素材。ほぼ【収納】の肥やしなのだ。

だったら、当代最高ランクのA級……に近い鍛冶師……に剣を打ってもらって、それを自前の武器とした方が私としてはオイシイはず！

まぁ、素材はまだあるんだし、腕が追いついたその時は、私の手で仕上げてやりたいとは思ってるけども。

「わかった。国宝級をひとつ作ってやろうじゃねぇか」

「お願いします！」

というわけで、私はガガさんに剣の製作を依頼して、午後はそんなガガさんの邪魔をしてはいけないと思い、工房の外へと出るのであった。

◆◇◆

「さてと、そろそろ再開しよっかなー？」

え、何を？　って、そりゃあ【錬金術】と【調合】のクエスト消化ですよ！

はい！　私、まだまだ『笑いが止まらない状態』になることを諦めていません！　そう、ギルドランクを上げて、【蘇生薬《そせいやく》】のレシピを手に入れて、プレイヤーに売って、左団扇《ひだりうちわ》でウハウハ計画はまだ頓挫してないのですよ！

「夏休みとか冬休みとかの長期休暇で旅行に行く時も、宿題は持っていくタイプだったからね」

やるとは限らないけどね！

というわけで、ガガさんに引っ付いて森の奥に行くと決まったその日に、ミレーネさんに準備するように言われた私は、何よりも先にD級の依頼掲示板のスクリーンショットを撮っていたりする。

しかも、【調合】と【錬金術】の両方とも。

それに加えて、ささっと冒険者ギルドにも立ち寄り、植物や鉱物の図鑑なんかにも軽く目を通している。

うん、【バランス】さんだからね。軽く目を通すだけで、全部把握できちゃうんだ。

というわけで、私は現在、視界の端で依頼の内容をチラチラ確認しながら、その材料を森の中で探している最中となる。一応、【鑑定】をかけると、その素材の名前がわかるので、依頼のクリアに必要な物のレシピに名前があるのかどうかを確認してから、素材を次々に【収納】へ放り込んでいく。

【調合】や【錬金術】は専用の道具がないとできないので、今すぐに依頼の品が作れるわけじゃないけど、素材だけでも集めておけば、今度街に行った時に数多くの依頼がこなせるようになるわけだ。そして、数多くの依頼をこなした暁には、C級に上がれるというわけである。

あと、何よりも、タダで素材が手に入るのは嬉《うれ》しい！　ミレーネさんから買っていた素材も、結構馬鹿にならない値段だったので、これは有《あ》り難《がた》い要素だよね！

というわけで、素材を乱獲、乱獲～。

【鑑定】しては、【収納】して～、みたいな地道な作業をずーっと行い続け、空も暗くなってきたところで、そろそろ撤収の頃合い。別に夜遅くまで【採取】しても良《い》いんだけど、お腹《なか》を空かしたガガさんを待たせるのも悪いしね。あと、夜はモンスターが凶暴化するっていうのもあるし……。

というわけで、少し急ぎ足で工房に帰る。

今日もなかなか良《い》い素材が集まったなぁ、とホクホク顔で工房に足を踏み入れたら、中からおもむろに人影が出てきたよ。あら、珍しい。

「あ、どーも」

「………」

うわー、美人さんだねぇ。

工房から出てきて、いきなり私を見つめてきたのは、スーツみたいな黒服を着た黒マントの金髪女性。彼女は紅《あか》い瞳で私を睨《にら》むように見た後、

「ふん」

どこか、面白くなさそうな鼻息と共に夜の森へと消えていった。

いや、大丈夫？　夜のモンスターって凶暴になるって話だよ？　危険なんじゃない？

そんなことを思いながら、彼女の背を見送っていたら、

「玄関先で何やってんだ？」

ガガさんに話しかけられた。

◆◇◆

「さっきのあの人、凄《すご》い美人だったけど、ガガさんのイイ人？　それとも何？　痴情のもつれ？」

「いや、何か言葉にトゲがねぇか？　それに美人だっていうなら……いや、なんでもねぇ」

夕食時にガガさんとテーブルを囲んで、先ほどの美人さんについて質問する。

ガガさんも男だからね。美人について尋ねたら、嬉《うれ》しそうに話すかと思ったら案外と渋い表情だ。イイ人というわけではないのかな？

あ、もしかして、昔捨てた婚約者とか！　ガガさんも隅に置けないねぇ！

「テメェが何考えているのかわからねぇが、そういった浮ついたヤツじゃねぇからな？」

「じゃあ、誰なの？　あの人？」

「あれは、客だ」

「えー、お客さん？　めずらし～」

というか、私がこの工房に来てから、お客さんって初めて見たんだけど。

ガガさんは普段は街の雑貨屋さんとか商業ギルドに頼まれて、武具を卸したりしてるらしいんだけど、たまにこうやって物好きが現れては装備作成を頼んでいくことがあるんだって。

そして、どうやら今回はその物好きがやってきたということらしい。

「まぁ、客といっても、最悪の奴《やつ》だな」

「なんで？　褒賞石《ほうしょうせき》落してくれるなら、ミスリル買えるじゃん」

「アホか！　俺が苦労してようやく【水晶鋼のインゴット】を作ったところに現れて、『それで打った剣が欲しい』とかぬかしてくる奴《やつ》だぞ！　迷惑客以外の何者でもねぇだろうが！」

いやいや、そのインゴットって。

「それ、私の剣を打つインゴットでしょ？　なんで、その人、勝手に指名してるの？」

「わかってらぁ。だから、当然断った。先約があるし、持ち込みの素材だから、テメェの剣が欲しいならテメェで素材を用意しなってな。そしたら、諦めたのか無言で帰っていったが、何か薄気味の悪い女だったぜ」

無言でかぁ、感じ悪いなぁ……。

「まぁ、安心しろ。俺がテメェのために打つ剣だ。いくら褒賞石《ほうしょうせき》を積まれても売りゃしねーよ」

「まぁ、褒賞石《ほうしょうせき》じゃ、ガガさんが動かないのはわかってるけどさぁ。あの女の人が色仕掛《いろじか》けで攻めてきたらどーすんの？　ガガさん、女日照りだから、『私のこと好きにしていいわよ～、うっふ～ん♪』とか言われたら、すぐに陥落しそうじゃん？」

「美人な奴《やつ》ほど残念だってことは、ここ最近学んだからな。陥落しねぇっつぅの」

ほーん。言うじゃない。

でも、美人だって思っていてくれてたなら……許す！

「あと、このところ、飯作ってくれたり、魔剣造りを手伝ってくれたりした奴《やつ》に感謝を込めて打つんだ。この剣の持ち主はたった一人を除いていやしねぇんだよ」

あー、えーと、感謝とかしてくれてたんだ……？

「いや、面と向かってそう言われると照れるし……」

「おう、照れろ、照れろ！　お前さんがしょうもないところまでツッコむのがいけねぇんだ！」

くそぉ、ガガさんめぇ。恥ずかしいこと言って！　もー！　視線合わせられないじゃん！

「にしても、このインゴットはスゲェよ。これなら、確かにとんでもねぇ物ができそうだ」

「もしかして、魔剣作れそう？」

「もしかしたら、もしかするかもな。まぁ、魔剣じゃなくても、超一級品の武器になるのは間違いねぇよ。その分、製作難易度も馬鹿みたいに高くなるけどな。へっ、燃えてくるぜ！」

ガガさんは子供みたいに表情をキラキラさせている。

いいなぁ。私もいつかは自分の手で最高の素材を使って、最高の物を作ってみたいよ。

「製作難易度が高いなら集中して作業したいよね？　だったら、私、しばらく作業場に入らないでおこうか？」

「入らないって……どうするんだよ？」

「【錬金術】とか【調合】とかの素材を集めるために、外をウロウロするつもりだけど。ガガさんもC級の錬金術師目指すなら、素材を集めておいてあげようか？」

「いや、それはいい。そういうのは自分でやらなきゃ意味がねぇ。けど、素材を集めるって言うんなら、ひとつ取ってきてほしい物がある」

「え、なになに？」

「【シンバンキョウの砕片】だ」

◆◇◆

シンバンキョウというモンスターがどうやら森の中にいるらしい、と私はガガさんに教えてもらった。

そして、そのモンスターのレアドロップに砕片というものがあって、見た目は砕いた色付きガラスみたいな感じなんだけど、これがどうも街の高級料理店でも使われている高級調味料らしいんだよね。

で、ガガさん的にはやる気を出すためにも、その【シンバンキョウの砕片】をふりかけた料理が食べたいみたい。

まぁ、私としては錬金素材や調合素材を集めるついでなので断らなかったんだけど、そのシンバンキョウ？　がどういうモンスターでどういった所に生息しているのかもわからない状態だったんだよね。なので……。

「タツさんを呼んだの」

「すまん。全くわからんのやけど？」

「本当ですよ、ちゃんと説明してください！」

「ちなみに勝手についてきてるけど、キタコちゃんは呼んでないからね？」

「ガーン！　そ、そんな……。私たち鼻に薬草を詰め合うような仲じゃないですか⁉　ほら、あの時の薬草もこうして大事に【収納】にしまってあるのに！」

「捨てなさい」

あと、詰め合う仲じゃなくて、私が一方的に詰めただけだからね。記憶を改竄《かいざん》しないでね？

「まぁ、改めて説明すると、森の中で特定のモンスターを狩るのって、冒険者の得意分野でしょ？　だから、冒険者に助《すけ》っ人《と》を頼もうと思ったんだけど……」

「『思ったんだけど？』」

「フレンドがタツさんしかいなかったから」

「わかった。協力したる。協力したるから、泣くなや」

「あの、ボクでよければ、あとでフレンド登録するから……」

二人に思い切り慰められる私。

いや、泣いてなんかないからね!

◆◇◆

というわけで、頼もしい助《すけ》っ人《と》二人を加えての三人態勢でシンバンキョウを探すことにしたんだけど、一応アルファテスターのタツさんは、そのシンバンキョウの情報を知っているみたい。ちんまいドラゴンながらも大きく胸を張りながら説明してくれる。

「シンバンキョウは森の中のレアモン枠で、基本的には木の洞とかに隠れてて滅多に出てこんかったはずや。せやから、こっちから木の洞にちょっかいかけて、シンバンキョウを出す必要があんねん。けど、木の洞には高確率で蛇やらムカデやらのモンスターも潜んでるからなぁ。運が良ければシンバンキョウも引けるんやろうけど、そこは完全に運任せになると思うわ。あと、シンバンキョウの通り道に罠《わな》を仕掛けるって方法もあるんやけど……誰も斥候職のスキルなんて持っとらんよな?」

私とキタコちゃんは揃《そろ》って首を縦に振る。

「せやったら、木の洞引《ひ》っ掻《か》き回《まわ》し作戦でいった方がえぇやろな。ちゅうわけで、その辺の木を観察して、穴開いとったら逆側の幹を剣の柄とかでドついたらえぇで」

「逆側の幹を叩《たた》くの？」

「キツツキとかと同じや。逆側をコンコンすることで、モンスターがビックリして穴から飛び出すねん」

というわけで、三人で手分けしてチャレンジ。

なるほど。よくよく見てみると、この森に生えている木には穴が開いている木が何本かあるようだ。その木の穴の反対側から木をコンコンすればいいんだね？　よし、やってみよう。

コンコン――。

あ、蛇が穴から飛び出した……って、こっちに向かっていきなり襲いかかってくるんだけど⁉　これ、罠《わな》か何かじゃないの⁉

悲鳴をあげながらも蛇のモンスターをズバンと一刀両断。なんとか事なきを得たけど……。

「巣を追い出されたモンスターは腹立てて襲ってくることがあるから、気ィつけた方がえぇで」

「そういうのはもう少し早く言ってよ⁉　ギャー！」

うん。キタコちゃんがムカデに追いかけられてるのは置いとくとして……。

どうやら、クリスタルドラゴン戦を終えた私はそれなりに強くなってるみたい。さっきの襲いかかってきた蛇の動きもとても遅く見えたしね。これなら、木の洞から何が飛び出してきても、相応に対処できそう。

というわけで、少しだけ落ち着いてコンコン作戦を再開。

出てくるのは、ムカデ、蛇、ムカデ、蛇、リス、ムカデ、ムカデ、蛇、リス、ムカデ……。

シンバンキョウとやらはなかなか出てこない。

三十分もコンコンとやっていたら、流石《さすが》に飽きてきたので、タツさんに声をかける。

「タツさーん、シンバンキョウ出ないよー」

「そっちもかぁ。リスみたいな見た目のモンスターなんやけどなぁ。いないかぁ」

……ん?

「リスいたけど。あれがシンバンキョウ……?」

「いや、シンバンキョウをなんやと思ってたん⁉ リスやで⁉」

だって、シンバンキョウというから、てっきり鏡か何かのモンスターだとばっかり。

「シンバンキョウって、辛万狂って漢字で書くねん！　当て字でカラバンクルウや。つまり、カーバンクルをもじってんねん！　せやから、リスで間違いないで！」

いや、そんな裏事情わかるわけないじゃん⁉

でも、シンバンキョウがリスってことなら良かった。だって、今、丁度出たし。

木の洞から追い出されたリスは何が起きたのかわからないといった顔でこちらを見上げて可《か》愛《わい》く小首を傾《かし》げてくる。なので、私も思わず小首を傾《かし》げてみる。

「なんで呼応しとるん？」

「いや、なんとなく」

「というか、これがシンバンキョウですか？　可愛《かわ》い～♪　あ、額に小さな宝石が付いてる。綺麗《きれい》だね～」

ムカデの方は何とか撃退できたのか、駆け寄ってきたキタコちゃんもリスを見つめて目を細める。

うん、モンスターなのに凶悪さが欠片《かけら》もないから普通に可愛《かわい》く感じちゃうんだよね。

「じゃあ、このシンバンキョウを退治するで」

「「………」」

「なんやねん、その目？」

「タツさん、正気？」

「人間のやることじゃないよ？」

「コイツを倒さんとレアドロが落ちんのやから、しゃあないやろ⁉」

二人して怒られた。

可愛《かわい》い見た目でもモンスターはモンスターというのがタツさんの言い分らしい。そして、有言実行。すぐさまに魔術を発動させようとして……タツさんが思《おも》い留《とど》まる。

「そういえば、シンバンキョウは魔防が異様に高いんやった。魔術師特化ビルドしとるワイに倒すのは無理や。ヤマちゃんかキタコのどっちかに頼むわ」

「だったら、ボクがやるよ！」

意外にもタツさんの提案に手を挙げたのはキタコちゃんだった。

そして、自信満々に胸を反らす。うん、張るほどないけどね。

「ボクのユニークスキル【擬音】は汎用性が高いからね！　見事にシンバンキョウを感電させて捉えてみせるよ！」

「いや、なんで捉えんねん。倒さんとドロップ出ぇへんやん」

「感電させて気絶させて、ボクが大切に飼うんだ！　そして、仲良くなったところで、贈り物として、リスさんからレアドロップを受け取ってみせるよ！」

「いや、そこまでの道のり随分長いなぁ⁉」

うん。その頃には、とっくにガガさんの魔剣が完成してそうな話だね。

でも、このシンバンキョウを倒すのはちょっと気が引けるしなぁ……。

「じゃあ行くよ！　『ビリリッ！』」

私が迷っている間にも、キタコちゃんが張り切ってユニークスキルを使う。

その結果、リスさんは……見事に縦にビリリと裂けた。

そして、ポリゴンとなって消える。うん。唐突なグロはNGだよ。

「なんでぇっ⁉」

「いや、今のビリリは紙を破く時のビリリやったやろ……」

「感電の時のビリリはもっとビリリだよね……」

「二人共、適当に言ってない⁉ どっちのビリリもビリリにしか聞こえなかったんだけど⁉」

ちなみに、ドロップアイテムを確認してもらったけど、【シンバンキョウの砕片】はドロップしておらず、今回は急にグロ映像を見せられて気分が悪くなってしまったこともあり、解散することにした。

二人共、あんまり成果なくてゴメンね。今度なんか奢《おご》るよ……。

◆◇◆

「おう、遅かったな」

二人と別れてガガさんの工房に帰ったら、気分転換でもしていたのか、ガガさんが工房の外に出ていた。というか、ガガさんが手に持っているそれって……。

「家の裏に罠《わな》を仕掛けてあるんだが、たまに獲物がかかるんだ。今回は運が良かったぜ」

そう言って、掲げてみせるのはシンバンキョウだ。

キュイ、キュイと可愛《かわい》い声で悲鳴をあげる姿に心が苦しくなる。

「ガガさん、その子殺しちゃうの……?」

「あ？　なんでだ？」

「だって、シンバンキョウの砕片を手に入れるためにはモンスターを倒す必要が……」

「何言ってんだ？　コイツの場合は別に倒さなくても、砕片は簡単に取れるぞ、見てろ」

言って、ガガさんは持っていたナイフでシンバンキョウの額の宝石を簡単に抉《えぐ》り取《と》る。

私は思わず片目を瞑《つぶ》ってしまうけど、ポリゴンが飛び散る様子はない。

それどころか、額の宝石を外されたシンバンキョウは捕まった時以上に元気な様子でガガさんの手から逃げようともがき始める。

「おっと。爪で引《ひ》っ掻《か》こうとするんじゃねぇよ。というか、シンバンキョウの額の宝石はコイツらが育ってくると、大きく重くなってきて動きを阻害するとか言われてっからな。コイツらも外してもらってラッキーぐらいの感覚なんじゃねぇか？　痛《いて》ぇな！」

結局、腕を引《ひ》っ掻《か》かれたガガさんはシンバンキョウを離してしまい、シンバンキョウもすたこらさっさと逃げ出していく。

「まぁ、モンスターの中にはこうやって倒さずとも『部位破壊』できる奴《やつ》らもいるってことだ。なんでもかんでも倒そうと考えるのは、浅はかな考えだと覚えておくといいぞ」

なんか含蓄あるような言葉を言って満足なのか、ガガさんは意気揚々と工房へと戻っていく。

私はその光景を見送りながら、

「そのアドバイスはクリスタルドラゴンさんとの戦いの前に聞きたかったなぁ……」

ちょっと遠い目になるのであった。

◆◇◆

次の日。私は少し鬱々としながらも、【水晶の洞窟】を探索していた。

なんでこんなことをしているのかって？　そりゃ、【錬金術】のための素材集めである。

ちなみに、シンバンキョウの砕片をまぶして焼いた魚は大変美味《おい》しゅうございました。なんかカレー味だったね。けど、辛味が強かったので、お酒のアテにはいいけど、素ではそこまで中毒性はなさそうだったよ。

それを食べて、今日も一日頑張ろうってなったんだけど、それを覆《くつがえ》しちゃうような憂鬱が私を襲っています。

なお、本日【水晶の洞窟】にまで来た目的は、【スライムの核】の確保が目的。

どうも、【錬金術】をC級まで上げるには、【スライムの核】というアイテムが凄《すご》い数必要らしくて、私はそれを集めるために【水晶の洞窟】にまで来ているんだよね。

多分、運営としては、『スライムなんか瞬殺だろうし、ドロップもポンポン落ちるだろうから、必要数を沢山にしちゃえ～』ってことだと思うんだけど……。

【スライムの核】って普通に考えて、スライム一匹にひとつしかないんだよね。

そして、スライムは、特に群れるような習性を持ったモンスターでもないわけで……。

なので、私は延々と【水晶の洞窟】の中をスライムを探しては倒し、探しては倒し、といった行為を三時間くらいやっていてね……。

……鬱になりました。

というか、戦闘も魔術一発で即終了だし！　探し回って、歩いている時間の方が長いし！　ストレスだって、そりゃあ溜《た》まりますよ！　というか、こういうところもしっかりやらかしている運営めぇ！　相変わらず、ブレてないな！　変な安心感があるよ！　もちろん、皮肉だけど！

「ん？　なんだろ、アレ？」

そんな気分を引《ひ》き摺《ず》りながら、足元ばかりを見ていたからだろうか。

私は違和感を覚えて足を止める。何か白く透き通ったスライムがいるんだけど？

「えーと？」

普通のスライムというのは砂利だか、泥だかを常に捕食しているせいで、濁ったヘドロみたいな色をしているんだけど、私が見つけたスライムは白くて半透明だ。珍しい。まるでゼリーみたいだね。

「亜種かな？」

いや、モンスターに亜種がいるとか、聞いたこともないんですけど？

私が、じ～っと観察していたのに気がついたのか、白いスライムが慌てて移動を開始する。

「え⁉　はやっ！」

普通のスライムはそれこそカタツムリか！　って、ツッコミを入れちゃうくらいには動きが遅いんだけど、あの白いスライムはその常識を覆《くつがえ》すかのように動きが早い！

まぁ、スライムにしては、ってレベルなので、私の敏捷《びんしょう》を凌駕《りょうが》するほどの速度というわけではないんだけど……。

とりあえず、小走りで追いかけながら、白スライムを【鑑定】してみるよ。

▼？？？を【鑑定】します。

▼【鑑定】に成功しました。

【名前】（名無し）
【種族】クリスタルスライム　【性別】無し　【年齢】■歳
【LV】■　【SP】■
【HP】10／10　【MP】■／■
【物攻】25　【魔攻】23
【物防】■　【魔防】321
【体力】1　【敏捷《びんしょう》】67

【直感】■　【精神】■　【運命】■
【ユニークスキル】（無し）
【種族スキル】魔術無効、魔法無効
【コモンスキル】火魔術Lv1

「あれ？　亜種じゃない？　というか、新種のスライム？」

　この【水晶の洞窟】では初めて見たけど、普通のスライムとは違う別種のスライムということらしい。半透明なのも、その体がクリスタルでできているからなのかな？

　そして、魔防の値！　なんと、脅威の三百オーバー！　私よりも硬い要塞がこんなところにいたよ！

　というか、その上で更に魔術と魔法が無効って、どれだけ物理でコイツを倒させたいの？

　とりあえず、追いかけながらロングソードに持ち替えて、クリスタルスライムに切りつけようとするけど、まるでこちらの動きを見切っているかのように、するりと躱《かわ》されてしまう。

　うぐぐ、スライムのくせに生意気な……！

「なら、これでどうだ！【アースウォール】！」

　クリスタルスライムの逃げ場をなくすようにして地面が迫り上がり、あっという間に三方を土壁が覆い尽くす。【土魔術】Lv2で覚える【アースウォール】は地面を変形させて壁を作る魔術で、本来は遠距離攻撃を防ぐための盾としての役割があるらしい。

けど、使い方次第では、こうして道を塞ぐことだって可能！

クリスタルスライムがポインッと壁にぶつかって動きを止めたところで、渾身《こんしん》の一撃を当てる！

——ギンッ！

「硬っ⁉」

これ、あれだ。クリスタルドラゴンさんと同じくらいの硬さだ！

まるで手応えがない……というか、微妙に痺《しび》れた手に顔を顰《しか》めていたら、クリスタルスライムが【ファイアーボール】を撃ってきた！

「危なっ⁉　このー！」

スライムのくせに殺る気《やき》MAXじゃん！

ぽいーん！　ぽいーん！

「へぇ？　足を止めて、私とやり合おうっていうの？　いいよ、その勝負受けてやる！」

というわけで、私とクリスタルスライムの壮絶なる塩試合（漫画でいうと二百ページぐらいの長編）が繰り広げられるのだが、特に盛り上がるシーンもなかったので割愛。

「勝った……！」

最終的には、私が泥試合を制し、クリスタルスライムのHPを削り切って勝利したよ！

まぁ、HPは十だけだったけどさ！

▼経験値2024を獲得。
▼褒賞石《ほうしょうせき》7を獲得。
▼水晶鋼を獲得。
▼ヤマモトはレベルが上がりました。

▼【バランス】が発動しました。
取得物のバランスを調整します。
▼褒賞石《ほうしょうせき》2017を追加獲得。

「経験値多っ！　そして、【水晶鋼】って……」

あぁ、なるほど。クリスタルドラゴンさんを倒しちゃったら、もう【水晶鋼】は取れないのかなぁと思ってたんだけど、クリスタルスライムでも確保できるってわけね。

その割には出現率も倒す方法もシビアで、運営の『レアアイテムなんだから、簡単にはやらねぇぞ！』感が滲《にじ》み出《で》ていて、思わず暗黒微笑を浮かべちゃうよ。

まぁ、私は【水晶鋼】に関してはたんまりとストックがあるから、ガガさんにでも教えてあげるのが良《い》いかもね。良《い》い土産話ができたわー。

「良《い》い土産話はできたけど、【スライムの核】はあと九十二個も足りないんだけどね……」

運営、ゲームバランスやっぱりおかしいって！

私は愚痴を言いながらも、鬱々とスライムを狩って回るのであった。

第八章　他人を騙《だま》すのに知恵はいるが、自分を騙《だま》すのにも知恵はいる

《タツ視点》

それは、ホンマに唐突やった。

ヤマちゃんからの招待状？　挑戦状？　ようわからんけど、「ここにて待つ」とだけ書かれたメッセージがいきなり届いたんや。

正直、ワイは「なんや……？」と戸惑った。

ちゅうか、普通はメッセージを送るんやったら、何をやるとか、何を用意してこいだとか、そういうことを書くもんやろ？　せやけど、ヤマちゃんからのメッセージには何も書いてあらへん。ただ、来いとしか書いてないねん。

せやから、これは何かの罠《わな》か？　とも疑ったんやけど、ヤマちゃんの能天気な笑顔を思い浮かべたら、なんや考えるのがアホらしくなって考えるのをやめたわ。

ちゅうか、ヤマちゃんがアバター美人だとわかっとっても、あの完成度はズルいわ。男でヤマちゃんに頼み事されて断れる奴《やつ》とかおらんのとちゃう？　そんなわけやから、今回のヤマちゃんからのメッセージにも、ワイは応えることにした。まぁ、男の性《さが》って奴《やつ》やな。

「あれ？　タツ兄もヤマモトさんに呼び出されたの？」

「なんや、キタコもか。ここに来いってなんや書いてあったわ」

ワイがヤマちゃんに会いに街を出て森の中を進んどったら、丁度《ちょうど》キタコとかち合った。

キタコはワイがユグドラシル社のアルファテスターの頃からの知り合いで、テスト中には何度もゲームの中で顔を突き合わせた仲や。言うても、キタコはゲームが上手いんとちゃうねんけどな。

アルファテスターの中での、キタコのあだ名は『お荷物』。

指定された試験項目が消化できずに、その試験項目が他のアルファテスターに回されることは日常茶飯事やったし、その割にはようバグ引くっていうんで、周りにはよう敬遠されとったのを覚えとる。ついでにいうと、キタコ自身の要領も悪かったしなぁ。

キタコに関わると面倒事が増えるし、勤務時間が延びるっていうんで、次第にキタコの面倒見る奴《やつ》がいなくなったんとちゃうかな？

最終的にはワイがキタコの面倒を見る係みたいな感じに任せられて、キタコのフォローをしとった感じなんやけど、その時のことを覚えとるんか、今回のＬＩＡ《Life is Adventure》でもキタコはワイに非常に好意的や。

好意的っちゅうか、デスゲームという環境でゲームが下手っちゅうのは致命的やからなぁ。

そこをカバーしてくれる人間と一緒に行動しようと考えるのは当たり前っちゃあ、当たり前や。

最近では、とにかくワイの受ける依頼に付いて回るような感じになっとるせいか、アクティブな冒険者の間では、もはやワイとキタコがワンセットみたいな扱いになっとるんやけど……まぁ、別にえぇんとちゃう？

ちなみに、この状況を煩わしいとは思っとらん。

そもそも、デスゲームの中でゲーム下手な奴《やつ》をほっぽり出してせいせいするわ、なんて外道の所業やん？　ワイ、そこまで堕《お》ちとらんしな。

それに、キタコは腐っても女の子や。女の子に頼られる感じで一緒にゲームできて嬉《うれ》しくない男もおらんやろ。

後は、キタコの声やな。

キタコの声なぁ。ワイの大好きな声優の声にめっちゃ似てんねん！　せやから、その声で名前呼ばれたりすると、めっちゃテンション上がるんよなぁ！　ちゅうか、中身がキタコやなくて、その声優さんとかやったら絶対に推しとるわ！　それぐらい耳が幸せやねん！

「じゃ、一緒だね。一緒に行こっか？」

「せやな」

ちゅうわけで、キタコと森の中を散歩や。

ちなみに、途中の戦闘はほぼワイが片付けたっちゅうことは言うておくで。

キタコに任せとったら命が幾つあっても足らへんからな！

で、三十分くらいは歩いたんかな？　ヤマちゃんの指定の場所に辿《たど》り着《つ》いたら、なんや森の中なのに開けた広場みたいなとこがあったわ。

そして、その広場の真ん中にようわからんもんが見えたんやけど……。

「なにやってるん？　ヤマちゃん？」

「あ、タツさんにキタコちゃん！　遅いよ〜」

そこには、縄でグルグル巻きに縛られたヤマちゃんがその場に転がされとった。

今時、漫画でも見ないようなミノムシスタイルのグルグル巻きや。

一体誰に巻かれたんや？　と思っとったら、森の奥から身の竦《すく》むような声が聞こえてきたんやけど？　なんや、モンスターか？

『ゴァァ！』

森の奥から茂みを割って現れたのは、マーダーベアやんけ！　ここら一帯で一番強いモンスターや！　それが、「私をどうぞ！」とばかりに縛られたヤマちゃんを見つけて、一直線に駆け寄ってくる！　アカンやん⁉

「ヤマちゃん、危な――」

ズボッ！

せやけど、ワイが警告するよりも早く、マーダーベアの姿は一瞬で消えよった。

そして、はらりと解けるヤマちゃんを拘束していた縄。

いや、待て。なんやそれ？　縛られたフリしとったん……？

「残念～！　私を食べられると思った？　考えが浅いねぇ～！　むしろ浅ましいよ～！　うっふっふ～！」

『グォォ！　グォッ！　グォッ！』

「悔しいのう、悔しいのうｗｗｗ」

この場所からやと見づらいんやけど、どうやらヤマちゃんの近くには落とし穴が掘ってあるみたいや。落とし穴に落ちたマーダーベアを散々煽《あお》り散《ち》らかした後に、絶対に反撃を受けないであろう槍《やり》でザクザクとトドメさしとる。

なんちゅうか、戦い方エグくあらへん……？

「ふぅ、FPSの時の癖で、つい煽《あお》り散《ち》らかしてしまった……」

「海外の人にやったら、確実にキレられる奴《やつ》やん……」

普段、FPSで絶対ロクな遊び方しとらんやろ？

せやけど、ヤマちゃんはそんなこと関係ないとばかりに良《い》い笑顔をワイらに向けてくる。

くっ、その顔はなんやズルいわぁ……。

「この間はごめんね～。シンバンキョウの件で迷惑をかけちゃったから、その時のお詫《わ》びに今回は二人にご馳走《ちそう》しようと思ってメッセージを送ったんだ～」

ご馳走《ちそう》、なぁ。

ワイはあんまりＬＩＡの飯とかには興味あらへんけど、キタコはなんや嬉《うれ》しそうやな？

まぁ、そこは人それぞれっちゅうことか。

しかし、ご馳走《ちそう》言うても、こんな山の中で何を奢《おご》ってくれるんや？　例の【シンバンキョウの砕片】でもご馳走《ちそう》してくれるんか？

「ご馳走《ちそう》してくれるの？　楽しみ～！　何が出てくるのかな？」

「え、熊肉だけど？」

今、獲《と》った奴《やつ》やん⁉　もっとちゃんと色々と用意しとらんとダメやろ⁉

「あ、大丈夫、大丈夫。子熊肉もあるから。……あ、さっきの奴《やつ》ってお母さん熊だったのかな？　ま、いっか」

ちょっと残酷なセリフ言うとらんかったか⁉

アレやろ、さっきのマーダーベアが出る前に子熊のマーダーベアも罠《わな》に嵌《は》めて殺しとるやろ⁉　それに、お母さん熊が怒って襲いかかってきたんとちゃうんかい⁉　絶世の美少女の顔しときながら、やることエグいねん！

「く、熊肉……。わ、わーい、おいしそー……」

キタコも無理せんでえぇからな⁉

「とりあえず、キャンプの準備しよっか！　なんかこうゆる～い感じでキャンプ飯を楽しも

〜」

緩い感じのキャンプでは熊肉とか出てきぃへんからな⁉　せいぜいが温めたココア飲んだり、マシュマロ緩く焼く感じやねん！　ちゅうか、飯の選択からしてハードモードやねん！　誰が熊肉処理できんねん！　獣臭くて食えたもんやあらへんのとちゃうか⁉


「あ、じゃあ、ボクが熊肉の下処理するね」

「おー、キタコちゃん、できるの？　すごーい！」

いや、キタコにそんな特技があったんかい！

「タツ兄に教えてもらったからね〜。じゃ、頑張ってみるね〜」

っていうか、ワイが教えたんかーい！

◆◇◆

「なんや、熊肉ってもっと獣臭い思うとったが、普通に食えるもんなんやな」

キタコの下処理が完璧だったのもあるんか？　それともここが野外やから美味《うま》く感じるんか？　なんや熊肉の焼き肉は普通に美味《うま》いわ。惜しむらくは美味《うま》いタレがないっちゅうことやな。塩味一辺倒やとやっぱりちょい飽きるわ。

「冬眠前の熊は脂が乗ってて、ジビエ料理の中でも王様だ――ってタツ兄が言ってたよ？」

「ワイ、言うたか？　そんなこと？」

確かに、アルファテスターの時はLIAをログアウトしちゃあ、外部サイトに繋《つな》げて調べてみたいなことをやりつつ、外の知識をLIAで試してたりもしてたけどなぁ……せやけど、随分と前の話やぞ。そんなもん覚えとるか、普通？

「キタコちゃんとタツさんって同じアルファテスターなんだよね？　その頃から、そんなに仲が良かったりするの？　というか、付き合ってるの？」

「つつつ、付き合ってるだなんてことは！」

「ちゅーか、キタコはできの悪い妹みたいなもんや。付き合うも付き合わんもあらへん――いたあっ⁉　何すんねん⁉」

肉刺してた串でワイのこと刺すなや！　HP全損したらどないすんねん！　ワイ紙装甲やねんぞ！

「む～！」

「いや、それはタツさんが悪いよ」

「なんでやねん⁉　そもそも、キタコとはリアルでも会ったことあらへんのやぞ⁉　そんなんで付き合うも付き合わへんもあらへんやろ！」

「そうなの？」

「電子の海では、何度も会ってるもん！」

ちゅうか、キタコは同じアルファテスターでも、ワイとは毛色が違うんや。

ワイは通いでユグドラシル社に行っては、そこの環境でバグ取りしとったけど、キタコはそうやない。

「キタコはユグドラシル社に備え付けのフルダイブ型のマシンで二十四時間以上、ＬＩＡに潜ってたクチやろ？　せやから、リアルでは一度も会ったことがあらへんはずや」

「どゆこと……？」

ＶＲＭＭＯＲＰＧをプレイしているユーザーの中には、ヘビーゲーマーと呼ばれる存在がおんねん。そういうゲーマーは生理現象や栄養補給を自動で処理してくれるような超高価な健康維持装置みたいなＶＲ機器《ハード》を用意しとって、それで何日でも平気でゲームをぶっ続けでプレイするみたいなことがあるそうや。

キタコはそういうプレイヤーを想定して、ずっとＬＩＡの世界にログインし続けて、体調面などに問題が出ないかなどを調査しとったプレイヤーなんやとワイは睨《にら》んどる。

――ちゅうことを、ヤマちゃんに説明する。

「なるほど。だから、リアルで会ったことがないと……」

「普通はアレだけ迷惑かけたら、リアルでも頭下げに来るもんやろ？　せやけど、それもないからな。そういうことやろうとワイは結論づけた。そうやろ、キタコ？」

「うまうま……え？」

「なんでキタコが話聞いとらんで、熊肉食うとるんや！」

「そりゃ、タツさんの説明が長いからだよ。ねー？」

「ねー！」

その女子特有の謎の共感は何なん？　ワイの話が長かったんが悪いんか？

「ということは、キタコちゃんはスーパーウルトラヘビィゲーマーってこと？　超絶技巧のウルテクの持ち主？」

「まぁ、二十四時間三百六十五日ＬＩＡに潜っている割にはあんまり成長せぇへん希少種やな。ちゅうか、なんでそこまで下手やねん……。もう少し何とかならへんのか？」

「でも、熊の下処理は上手だったよ。正直、熊の下処理の仕方なんて、私は知らなかったから助かったよ」

ヤマちゃんは、もうちょっとおもてなしの精神を学んだ方がえぇと思うで？

「えへへ、頑張ってはいるんだけど、上手《うま》くいかないんだよね〜」

「まあええわ。得意不得意は人によってもちゃうし、キタコはキタコの速度で成長しとるんやろ？　ワイもキタコが頑張ってるんを知らんわけやないしな」

「「………」」

なんやねん、二人してワイのことじっと見て？

ワイ、何か変なこと言うたか？

「タツ兄はね、昔からこうなの」

なんや、熊肉食いながらキタコが笑っとるわ。

それやと熊肉が美味《うま》いんか、ワイの話題がオモロイんか、はっきりせえへんな。

「ボクがアルファテスターの中でも厄介者だって知れ渡って孤立しそうになった時も一人だけボクの味方をしてくれたの。誰もボクのフォローをしないなら自分がやるって……そう言ってくれたんだ……」

せやったか？　まぁ、なんや妙な空気に我慢し切れなくなって動いたかもしれへんけど、そんなんもう忘れとるわ。むしろ、キタコの方がよう覚えとるな。

「そうなんだ」

いや、二人して生暖かい目で見るなや。焚火《たきび》の炎も相まってほんわか空気漂っとるやん。

ワイ、そういう空気はあんまり得意やないねん。思わず顔逸《そ》らしてまうやろ。

「まぁ、もう忘れたけどな。ひとつ言えるとしたら、金貰《もら》って働くプロなんやから変なイジメみたいな空気にしたくなかったんやと思うで。それに、キタコは結果出とらんだけで、いつも一生懸命やってんねん。それはワイも知っとったしな。ホンマ結果が出ないだけで……。――なんでや!?」

「結果が出ないことばかり強調しなくても!?」

「そっかぁ」

ヤマちゃんの声が思いのほか優しい。

なんや感じ入るところでもあったんやろうか？　そう思うとったら、ヤマちゃんがおもむろに語り出したわ。焚火《たきび》パワー恐るべしやな。

「私も昔、学校で孤立することがあったから、キタコちゃんの気持ちはちょっとわかるかも……。私のところにはタツさんみたいな子はいなかったからね。キタコちゃんがちょっと羨ましい……なんてね」

…………。

何があったかは詳しくは聞かんけど、あんまり楽しい話とはちゃうみたいやな。

ワイの人生においては、幸運なことに今までイジメに関わることがなかったから、こういう時になんて言ったらえぇのか、ようわからん。

気の利《き》いたセリフのひとつでも言えればえぇんやけど、下手な言葉は逆に相手を傷つけることもあるしな。どないしたらえぇんや？

と思っとったら、キタコがいきなり立ち上がって、ヤマちゃんを抱きしめよった！

火の傍《そば》でいきなり動くなや！　風が巻くやんけ！

「大丈夫！　今はボクもタツ兄もいるんだから！　ヤマモトさんに辛《つら》い思いはさせないよ！」

熱いなぁ！　いや、キタコの思いがやないで！

キタコの動きで風が巻いて、こっちに焚火《たきび》の煙と熱が来とんねん！　物理的に熱いねん！

「キタコちゃん……ありがと、少し元気出たよ」

「えへへ……」

なんやまぁ、二人の仲が少しだけ親密になったならええんとちゃう？

まぁ、ワイは煙いねんけどな！　ゲホゴホゲホ！

「タツさん、どうしたの？　風邪？」

なんでやねんっ！

◆◇◆

《ヤマモト視点》

私が工房の作業場に入らなくなって、ついに五日が過ぎた。

当初の目標に掲げていた【採取】と【錬金術】の素材集めの計画は既に完了し、私の【収納】に入りきらない分の素材に関しては、馬車の中の豪華な棺桶《かんおけ》の中に山積みとなって置かれている。

そもそも、あの豪華な棺桶《かんおけ》はちょっとしたセーブポイントとして利用できるはずだったのに、ログアウトができなくなったため、現在は完全に無用の長物となってしまっているのだ。

だから、普通に道具箱として使ってしまっても、何の問題もないだろう。

ちなみに、一度送還した際にアイテムが消えないことは確認済みである。

「…………」

一方のガガさんの方は結構苦戦してるみたい。

火鋏《ひばさみ》が溶けーの、金槌《かなづち》が何本も折れーの。

作業しようにもどうにもならないから、工具をわざわざミスリル合金で作り直したとか言ってたっけ。それで、今はなんとか研ぎの作業に入っているみたいだけど、研ぎだけで今日で二日目だ。ガガさんは、「今日中には絶対に終わらせてやる！」って息巻いていたけど、その台詞《せりふ》は昨日も聞いたんだよねー。

まぁ、一応、完成した後のちょっとした祝賀会のために、美味《おい》しいものを用意しようと思って、こうして川辺で釣り糸を垂らしているんだけど……。

「…………」

ちなみに、私は魚の中では、マグロでも、サーモンでも、鯛《たい》でも、鰈《かれい》でもなく、鮎《あゆ》が一番好きだったりする。特に塩焼き。あのフワッとした白身にパリパリの皮、そして塩だけの味付けなのに深みすら感じる味。小学生の頃に家族でキャンプに行って、その時に食べて以来のお気に入りだ。

そして、そんな鮎《あゆ》の塩焼きをガガさんの剣の完成を祝うのにかこつけて食べちゃおうという高度な作戦である。

「……帰ろ」

うん。『渓流に適当に釣り糸垂らしとけば、釣れるでしょ』とか思っていた私が甘かったよ。

そもそも、虫嫌いの私が釣り針に餌を付けられるわけがなかったんだ！　ゲームシステム的に餌なんて付けなくても釣れるでしょ、とか楽観的に考えていた自分を殴ってやりたい！　全くヒットもしなかったしね！

滅法軽い魚籠《びく》を片手に提げながら、今晩の夕食はどうしようかな、と悩む。

結構、遅くまで粘っていたから、もう夜になっちゃったし。

一応、【釣り】のスキルは生えたんで無駄な行動ってわけでもないんだけどさ。時間を贅沢《ぜいたく》に使った気はしているよ。

「それにしても、何か悔しいねー」

ガガさんに貸してもらった釣り道具も成果をあげられなくてガッカリしているだろうし。

うーん、ゴメンネ？　使っている人がヘボで。

「おんやぁ……？」

ガガさんの工房に戻ったら、作業場の扉のひとつが開きっぱなしになっている。

ガガさんの工房って、本人が設計・建築しただけあって、色んな仕掛けがあるんだよね。

例えば、鍛冶を行う作業場と料理を行うキッチンが壁一枚隔てた構造で、炉の残り火をキッチン側のオーブンで使うことができたりとかさ。

炭焼き小屋にいちいち遠回りして出るのが面倒くさいって理由で、作業場に裏口を作っちゃったりとか、作業場とリビングを扉で繋《つな》いだりだとか。

まぁ、色々と魔改造してあるわけ。

そんな中の工夫のひとつが、作業場に外から直接繋《つな》がる扉があるんだけど……それが開けっ放しになっている。

「熱がこもったから、換気してるのかな？」

鍛冶仕事はなんだかんだで、火をガンガンに使うからね。作業場の室温がいっつも高いんだよ。だから、作業が終わった後とかには扉を開放してるんだけど……。

？　なんか、様子がおかしい……？

私の直感が警告をガンガンに鳴らしてくる。

え、なに？　何か見落としている？

「あれは……」

私の視線が、扉近くの床に垂れた黒い染《し》みに釘付《くぎづ》けになる。それに気付いた瞬間に、私は釣り道具をその場に放り出して扉に向かって駆け出す。

「これ、血……!?　――ガガさん！」

慌てて作業場の中へと入る。

ガガさんは一流の職人だ。

だから、自分の使う道具は常に大切に扱うようにしていた。道具は整然と並べられ、どこに何があるのかが一瞬でわかるように作業場自体がそういう設計になっている。その計算しつくされた作業場には私も一種の芸術性を感じたほどだ。

だが、その整えられた空間の姿はそこにはなかった。

無残に荒らされ、作業場のあちらこちらに刃物による傷だろうか？　破壊された跡が残る。

その壊された作業場の中央で、血溜《ちだ》まりの中に倒れているガガさんの姿を見つけてしまった――。

「ガガさん！」

体中から血の気が引いていく。慌てて近付いて、脈をとるけど……よくわからない！

だって、私、素人《しろうと》だもん！　手首のどこをどう押さえればいいのさ!?

「う……、うぅ……」

私が脈をとるために体を動かしたせいか、ガガさんの口から声が漏れる。

まだ死んでない！　だったら！

「【ヒールライト】！」

治れ、治れ、治れ、治れ、治れ……！

精神の値だか、魔攻の値だか、どちらを参照にしているのかはわからないけど、私のステータスは全て百を越えているんだ！　だから、お願い！　治って……！

光のシャワーを浴びたガガさんの傷口が徐々に塞がっていく。全身を刃物にでも斬られたのか、鋭い傷口で全身を覆われていたが、中でも酷《ひど》かったのはガガさんの利《き》き腕《うで》である右腕だ。

全身の傷は塞がったものの、そこだけは傷痕が残る結果になってしまった。

やるせない思いで私は唇を噛《か》む。

私の力不足だ。ゴメン、ガガさん……。

「っ……、ヤマモト、か……」

「ガガさん、気がついたの⁉　大丈夫⁉　体痛くない⁉」

「悪ぃ……」

「大丈夫！　大丈夫だから！　作業場の片付けも私がするし、これから美味《おい》しい夕食だって作るから！　だから――」

元気出して！

そう言って励まそうとしたのに、目を開けたガガさんは、その眦《まなじり》から滂沱《ぼうだ》の涙を零《こぼ》していた。

なんで？　なんでガガさんが泣いているの？

いつものように、うるせーって。

いつものように、ポカリってやってよ……。

それとも、傷が痛い？

だったら、私が何度でも【ヒールライト】かけるから……。

「剣を……、お前さんに渡すための剣を……、盗まれちまった……」

「いいよ、剣なんて！　また打てば良《い》いじゃない！　そんなことよりもガガさんの方が──」

「良くねぇ……っ！　お前のために打った剣だぞ……！　それを盗《と》られて良《い》い鍛冶師なんか……いねぇよッ！」

怒鳴られた。

わかっている。そんなこと。

でも、それ以上にガガさんが心配なんだよ！

剣なんか打ち直せば良《い》いじゃん──、そう思ったのは本当のことだけど、あの剣を完成させるために、ガガさんはここ数日全霊を込めて打ってくれていたんだ。

その時の気持ちを……、もう一度同じ気持ちをもって同じように剣を打ったとしても、それは多分盗《と》られた剣とは全く違う剣となってしまう。

ガガさんが私のことを考えて、私のためだけに打った剣じゃなくなってしまう……。

「とにかく、ガガさんを寝室に運ぶよ？　今は少しでも休んで？　ね？」

「うっ……、ぐぅ……、ううぅ……」

ガガさんが腕で顔を隠して泣いている。

剣を守れなかった自分自身の不甲斐《ふがい》なさを嘆くかのように、私がガガさんを寝室に送り届けるまでガガさんはずっと泣いていた。けど、私が寝室を後にしようとした瞬間だけ、はっきりとしたガガさんの「ゴメンな……」という後悔の呟《つぶや》きが聞き取れた。
私はガガさんを寝室のベッドの上に横たえた後で、静かにガガさんの工房を出ると深く息を吸い込んで、ステータスを開く。

【名前】ヤマモト
【種族】ディラハン（妖精）【性別】♀【年齢】0歳
【LV】19【SP】36
【HP】1430／1430【MP】1365／1430
【物攻】155（+12）【魔攻】143
【物防】158（+15）【魔防】156（+13）
【体力】143【敏捷《びんしょう》】143
【直感】143【精神】143【運命】143
【ユニークスキル】バランス
【種族スキル】馬車召喚
【コモンスキル】鍛冶Lv5／錬金術Lv5／調合Lv5／鑑定Lv5／収納Lv5／火魔術Lv5／水魔術Lv5／風魔術Lv5／土魔術Lv5／光魔術Lv5／闇魔術Lv5／料理L

v5／ヤマモト流Lv5／採掘Lv5／採取Lv5／細工Lv5／革細工Lv5／木工細工Lv5／彫金Lv5／彫刻Lv5／釣りLv5

▼SP2を消費して【追跡】スキルLv1を取得しますか？

……本当、このゲームのシステムは凄《すご》い。

私が今一番望んでいることを理解して、実現する方法を提示してくれる。

▼【追跡】スキルLv1を取得しました。

▼【バランス】が発動しました。

スキルのバランスを調整します。

▼【逃亡】スキルLv1を取得しました。

▼【バランス】が発動しました。

スキルのレベルバランスを調整します。

▼【追跡】スキルがLv5になりました。

▼【逃亡】スキルがLv5になりました。

いつもなら【バランス】さんにツッコむところなんだけど、そんな気分でもない。

「残SP三十四か……」

反省は毎回してるんだけどな。けど、ダメだね。

冷静になろうとしても、冷静になれない自分がそこにいることに気がつく。

「争いは同レベルの者でしか発生しない、か……」

同じ土俵に立っているから腹が立つのだろうか？　だから、こんなにも冷静になれないのだろうか？　だったら、違う土俵に立てば良《い》いの？

【名前】ヤマモト
【種族】ディラハン（妖精）　【性別】♀　【年齢】0歳
【LV】19　【SP】0
【HP】2110／2110　【MP】2115／2110
【物攻】223（＋12）　【魔攻】211
【物防】226（＋15）　【魔防】224（＋13）
【体力】211　【敏捷《びんしょう》】211

【直感】２１１【精神】２１１【運命】２１１
【ユニークスキル】バランス
【種族スキル】馬車召喚
【コモンスキル】鍛冶Ｌｖ５／錬金術Ｌｖ５／調合Ｌｖ５／鑑定Ｌｖ５／収納Ｌｖ５／火魔術Ｌｖ５／水魔術Ｌｖ５／風魔術Ｌｖ５／土魔術Ｌｖ５／光魔術Ｌｖ５／闇魔術Ｌｖ５／料理Ｌｖ５／ヤマモト流Ｌｖ５／採掘Ｌｖ５／採取Ｌｖ５／細工Ｌｖ５／革細工Ｌｖ５／木工細工Ｌｖ５／彫金Ｌｖ５／彫刻Ｌｖ５／釣りＬｖ５

「わかんないな」

私としては、ひとつ上のステージに立ったつもりだけど、結局、それで私の中のモヤモヤとした感情が晴れたとも思えない。いや、そもそも【追跡】のスキルを取った時点で、私がやりたいことは決まっていたのだ。

ふー……。

ひとつ息を吐いて、心を落ち着ける。

【追跡】スキルのおかげか、森の中にまで薄く光る緑色の足跡が続いているのがわかる。恐らくアレを辿《たど》っていけば、私の捜し人に辿《たど》り着《つ》けるのだろう。直感もそう教えてくれている。だったら、後はやるかやらないかだ。

「悪いけど、それは非売品なんだ。だから、回収させてもらうよ」

少しだけユーモラスに、けど全力で。

私は夜の森へと静かに駆け出していた。

◆◇◆

《???視点》

【水晶鋼の魔剣（仮称）】
【レア】８　【品質】高品質　【耐久】１０００／１０００
【製作】ガガ
【性能】物攻＋１２４（斬属性）、魔攻＋87（火属性）
【備考】魔王国の名匠ガガによって人工的に作られた魔剣。斬った箇所を火の魔力によって焼き焦がすことで、物理ダメージと魔力ダメージを同時に与えることができる。非常に珍しい剣。

「ふふ……」

自然と笑いが漏れる。

　このゲームのことを知ったのは、本当に偶然だった。

　仕事は残業続きで、田舎の両親からはイイ人はいないのかと毎日のようにせっつかれ、何もない人生をこれからも平坦《へいたん》に歩んでいくのだろうと半ば諦念を抱いていた時のことだ。

　ネット広告にパッと現れた文字に、私は瞬間的に釘付《くぎづ》けになる。

『新世界で新たな人生を歩もう！』

　これだ、と思った。

　このまま、ダラダラと生きていくだけの生活はしたくない。自分の人生を改めてやり直したいと思ったのだ。

　そして、過酷な競争倍率を勝ち抜いてゲームに当選し、ようやくの思いでゲームを開始する。

　ゲームを始めるにあたって、私はまず見た目に拘《こだわ》った。

　見た目というのは大事だ。人の中身は時間をかけて付き合ってみないとわからないが、見た目は即座に人の好感度を上下させる。私は実生活の中でも、それを何度も感じていた。

　だから、私は……元の私を残しながらも、美しい見た目になれる吸血鬼という種を選んだ。

　吸血鬼は、特異な種族だ。

　日中は、全ステータスが〇・八倍になるというデバフがつき、夜中には全ステータスが一・二倍になるというバフがつく癖の強い種族。食事の有無はフレーバー的な問題だからか、血の摂取の有無で飢餓状態に陥ることはないが、種族スキルのひとつとして血を飲むことで力が増すといったようなギミックがあった。

そして、そんな吸血鬼の私が選んだユニークスキルが【神速】。

直感と敏捷《びんしょう》のステータスを二倍にまで引き上げてくれるというものだが、最初はスキルの効果というよりも、スキル名の響きがカッコイイという理由だけで選んだスキルだ。

だが、その性能が壊れていることは、戦闘を繰り返すことにより簡単に理解できた。

戦闘中の動きの速さは主に敏捷《びんしょう》の値が参照される。走ったり、殴ったり、蹴ったり、そういった動作の速さは全て敏捷《びんしょう》の値が直結しているのだ。

一方の直感は、その動作をするまでの行動の決断力を早めてくれる。

殴ろう――そう思っても、直感が低いと殴り出すまでに時間がかかる。動き出してから、殴る動作は敏捷《びんしょう》の値に直結するが、技と技の間、動作と動作の繋《つな》ぎに関する思考の速さに関しては直感が作用するのだ。

そのステータスの名前から、第六感のようなものが成長すると思われている直感のステータス……事実、その方面にも作用する……だが、そのパラメーターにバフがかかることで、私は自分の動きが他のプレイヤーよりもかなり速くなっていることに気付く。

そして、そのアドバンテージを活《い》かすために、私は敏捷《びんしょう》と直感に特化したステータスにキャラクターをビルドしていく。

そして、一通りのビルドを行った後で、ただの疑似空間であったはずのゲームの世界が現実へと変貌した。

デスゲーム――死んだら終わりのイカレた世界。

だけど、現実世界に諦念を抱いていた私にとっては、そこは日々の興奮を享受させてくれる楽園《パライソ》に変わったといっても過言ではない。

誰もがついてこられない神速の御業《みわざ》を駆使し、モンスターを狩る日々。

命を懸けて戦っているはずなのに、私だけは敵から一撃も貰《もら》わずに相手の命を刈り取ることができる……そんな状況に全能感を覚えた。

そして、この世界で暴れまわった結果、私のプレイヤー名『サラ』は、いつの間にか魔物族側の勇者として祭り上げられていたのだ。

平坦《へいたん》な人生を歩んできた私にとっては、まさに快挙にも等しい出来事。

だが、このままでは駄目だということも、私はわかっていた。

私は自分のユニークスキルの特性を活《い》かしたい一心で、速さに偏ったビルドをしていたのだ。

その結果、攻撃力が疎《おろそ》かになり、モンスターの防御力を抜けないといったケースが増えていたのである。

倒せるけども武器の耐久力は減るし、時間はかかるしで良《い》いところがない。

だから、私は新しく強力な武器を作ることにしたのだ。

魔物族の街の雑貨店で、この地域で一番の鍛冶師という男について教えてもらう。

男の名前はガガというらしい。この国でも有数の剣匠だそうだ。

そして、運の良《い》いことに、この街の近くに住んでいるのだという。私はその男に剣を打ってもらうために、男の工房を訪ねた。そこで、見てしまったのだ……。

男が手に持っていた白銀の煌《きら》めきを——。

そして、どうしても、それが欲しくなってしまった。

私は一生懸命に頼んだ。

だが、男は頑《かたく》なに私の願いを拒み続けた。

私には、どうしても、そのインゴットで打った剣が必要だというのに、なんでわかってくれないのだろう？

その時、私の脳裏に浮かんだ言葉は、『デスゲーム』という言葉だった。私たちの命は明日をも知れないというのに、どうでも良《い》いＮＰＣに遠慮して何故《なぜ》引き下がらなければならないのだろうか？　私たちは命を懸けて日々を生きているのに、コイツらは特に命を懸けてもいないじゃないか。だったら、無茶を押し通したとしても別に構わないんじゃないか？

——そういう考えが浮かんだ。

そして、気付いた時には、私は完成した剣を男から奪っていた。

男は散々に抵抗したが……知ったことじゃない。こっちは生身であっちはただのデータなのだ。傷付けようがどうなろうが私の心は全く傷まなかった。

そして、ようやく手に入れた私の剣――。

『ゴァアア！』

森の奥から勢いよく出てきた熊のモンスター、マーダーベアを刹那で三度斬りつける。

鉄すらも弾くその毛皮――普段ならば、倒すのに時間がかかりすぎるために逃げる相手だが、この剣であれば……。

マーダーベアの体に三本の線が走ったかと思うと、そこから一気に炎が噴き上がり、マーダーベアを生きたまま焼き殺していく。

「物理ダメージだけじゃなく、同時に魔力ダメージも与え、更に炎によるスリップダメージも与えるだなんて……」

たったの三撃。

それだけで、普段は一時間もかけなければ倒せない相手が、倒せてしまった。

「ふふ、この剣はまさに私に振るわれるために生まれてきた剣ね……」

普通のロングソードの攻撃力は十二。今、攻略の最前線に出ているエースアタッカーの武器でも、攻撃力は二十か三十前後しかないことだろう。

だけど、この武器はそんな武器とは全く次元の違う攻撃力百二十四。そこに、更に魔力ダメージまで加える。こんな新時代の武器には、それに相応《ふさわ》しい使い手が必要だ。

田舎の剣匠がコソコソと死蔵していて良《い》いような品じゃない。

「この武器があれば、しばらくは攻撃力に困ることはないわね。これで目一杯スピードに特化できる」

そうなれば、もう怖いものなしだ。きっとまた勇者だなんだと騒がれることになるだろう。今はEOD殺しのヤマモトとかいう奴《やつ》の話題でいっぱいの掲示板も、またもう一度私のことを持ち上げてくれるはずだ。

そんなことを想像するだけでも、少しだけ気持ちが上がる。

「何がEOD殺しよ。このゲームの主役は私よ……」

夜の森を徘徊《はいかい》しながら、次の獲物を求める。

強いモンスターが出てきたって構いはしない。むしろ、望むところだ。

だって、私は今、最強とも言えるぐらいに強いのだから。

がさりと下草を踏む音。視線を向けると全身を白銀の鎧《よろい》で覆った女の姿が月明かりに照らされていた。

こんな夜中に、こんな森の中で人……？　いや、プレイヤーか……？　目を凝らすと青色のオーラが女の周囲に纏《まと》わりついて見える。やはり、プレイヤーか。

ということは……。

すぐさまに、私の中でＰ　Ｋ《プレイヤーキラー》という言葉が思い浮かぶ。

だが、どうにも記憶に引っかかる。

何故《なぜ》だろう？　私は彼女をどこかで見た気がする。

でも、思い出せない。

思い出せないということは大した出会いというわけではないのだろう。

私は、そう片付けた。

「その剣……」

PK《プレイヤーキラー》の女は、すぐさま私の剣に目をつけたようだ。デスゲームという危険な世界の中で、人殺しを愉《たの》しむような連中だ。物の価値がわからないほど馬鹿ではないということだろう。

「そう、貴女《あなた》だったんだ……」

白銀の女がこれみよがしにため息をつく。その女の顔は恐ろしいほどに整っており、アイドルやモデルだと言われても通用しそうな見た目をしていた。どこまで顔を弄《いじ》ったんだ――、そう思う一方で、天然でもあり得るかもという微妙に判断しづらいラインで、その女の美しさは整っていた。チクリと私の心に敵愾心《てきがいしん》という名のトゲが刺さる。嫉妬の炎というものがチラリと燃えた気がした。

「悪いけど――」

死んで、と言われるよりも早く私は動き出す。

悠長に喋《しゃべ》っている方が悪いのだ。

この世界は死んだら終わりの世界だ。そんな世界で日本での生活のように生ぬるい生き方が通用するわけがない。生きたければ相手を殺し、欲しければ相手から奪う——それが、この世界でのルールだ。

だから、私は私の物を奪おうとするコイツを一瞬で——。

「や、いきなり危ないいんだけど」

「えっ」

高速で交差しながら斬りつけたはずだ。

だが、彼女は何事もなかったかのようにその場に立っていた。

ＰＫ《プレイヤーキラー》だからと、奥の手を恐れて深く踏み込めなかった？　それとも偶然外してしまった？

私は手応えのなかった剣の刃に視線を落とす。当たっていれば、炎が剣身に纏《まと》わりついているはずだが、その痕跡は微塵《みじん》も見えない。つまり、躱《かわ》された？

「いいえ、そんなことはあり得ない……」

「こらー。もうツーアウトだぞー。無言で斬りかかってきてさー。今ならまだ土下座して、剣を返すなら街の衛兵に突き出すくらいで許すけど、スリーアウトになったら、もうアレだよ？　酷《ひど》いからねー？」

銀髪女のおちゃらけた口調。

とても、このデスゲームの中で戦闘を繰り返してきた者とは思えないヌルさ。本当に

ＰＫ《プレイヤーキラー》かと一瞬疑うが状況がそれを肯定する。

だからこそ、私は確信をもって言い返していた。

「たまたま偶然躱《かわ》せたからって、調子に乗らないことね、オバサン」

「…………」

銀髪女は私の言葉に核心を突かれたのか、一瞬だけ表情を強張《こわば》らせると次いでニコニコと笑い始めた。オバサンかどうかはカマかけだったけど、自分の顔をあそこまで弄《いじ》っているような奴《やつ》が若いとも思えない。私にも心当たりがあるから……わかる。

「スリーアウト超えて、テンアウトだよ。計十二アウトで五回表いっちゃったけど、どうするのさ？」

そして、どうやらそれは正解だったようだ。

銀髪女が前に出る。激昂《げきこう》したのかは知らないけど、たまたまとはいえ、私の剣を躱《かわ》せたのは不幸でしかない。何故《なぜ》なら彼女はこの剣の性能を知らないからだ。

この剣の攻撃が当たれば、攻略トップ層でさえもあっという間に瞬殺できる――それを確信させてくれるだけの威力がこの剣にはあった。

「無知って嫌ね」

「ホントにね」

何故《なぜ》、彼女が同意したのかはわからなかったが、私は彼女の感覚を惑わすために、彼女の周囲をゆっくりと回り始めた——。

◆◇◆

私の周囲を金髪の女の人がぐるぐると回り始める。その目は完全に私を狩るべき獲物と定めた肉食獣のようだ。

え？　いや、待って、待って。

この子、なんでこんなに殺る気《やき》満々なの？

ガガさんを襲ったことに関しては凄《すご》く許せないけど……一命は取り留めたわけだし、正直、剣を返してもらって平謝りに謝るというのなら水に流してもいいかな～って考えてたんだよ。

ほら、言うじゃない。

気の迷いだとか、魔が差すとか、一発目は誤射かもしれないとか。

だから、寛容な心が必要だって思ったんだよね。反省してもうしませんって言うなら許してあげようかなーって。

なのに、この殺気増し増しの敵対的な態度……開き直りにも程があるでしょうよ。

というか、剣をあんな形で奪ったんなら、普通は追っ手がかかるとか、衛兵に追い回されるとか先のことを考えたりするよね？　それを考えても、なお剣を奪うことを実行したってこと

は相応の実力者？　もしかして、そういうイベントが発生したってことなのかな？

意識を集中させて金髪の彼女を見ると青判定……つまりはプレイヤーだ。

どうやら、イベントじゃないらしいけど、それなら何でそんなことをするのかという疑問が残る。とりあえず、敵対するのであれば、相手の実力は測っておくべきだよね？

▼？？？を【鑑定】します。
▼【鑑定】に成功しました。

【名前】サラ
【種族】吸血鬼　【性別】♀　【年齢】237歳
【LV】19【SP】2
【HP】264／264【MP】148／168
【物攻】148（×1.2）（＋124）【魔攻】108（×1.2）（＋87）
【物防】35（×1.2）（＋11）【魔防】15（×1.2）
【体力】27（×1.2）【敏捷《びんしょう》】156（×2.4）
【直感】164（×2.4）【精神】17（×1.2）【運命】15（×1.2）
【ユニークスキル】神速
【種族スキル】吸血、夜の眷属《けんぞく》

【コモンスキル】双剣術Lv3／剣術Lv4／回避Lv2／鑑定Lv1／悪路走破Lv2／風魔術Lv2

え……、弱っ⁉

というか、この子、この程度の強さであんな自信満々に振る舞えるの⁉　NPCの衛兵とかに囲まれたらボッコボコじゃないの⁉　それで犯罪に走る神経が理解できないんだけど！

ステータスを見ると攻撃力が凄《すご》く高いけど、それはガガさんの剣あってのものだし。

あとは、敏捷《びんしょう》と直感が百五十オーバーなくらい？

でも、私、二百オーバーだしなぁ。そんなに驚くことでもないかな？

いや、問題は物防とか体力とかの値だよ！　なんなの！　三十五に二十七って！

私の攻撃を普通に当てたら、一発でHPがレッドゾーンじゃん！　むしろ、クリティカルでもしたら即死だよ！　そしたら、デスゲームだし、私が人殺しになっちゃうし！　こんなところで人生終わらせたくないよ！　タイーホは嫌だよ！

うぅっ、なんて恐ろしい相手なんだろう……。

こんなことなら、クリスタルドラゴンさんと、もう一回戦った方がマシだよ。

「フフフ……」

ぐるぐると周囲を回るサラさんが余裕の笑い声を漏らす。

なんか、速度に緩急をつけ始めた？　あれかな？　スピード系の敵がスピードに緩急をつけることで分身を生み出すとか、そういうことかな？

いや、どう見ても一人だけなんだけどね。

サラさんは、自分がどれだけ間抜けなことをしているのか気付いてないんじゃないの？　なんか、ぐるぐる回っているサラさんを目で追うのにも疲れてきちゃったから、ぇぇっと……。

「【アースウォール】」

ごんっとサラさんが土壁に激突する。あ、顔面からいったね。

ほら、そんなスピードで忍者走りなんかしてるからさー。

土壁に当たってズルズルと崩れ落ちるサラさんが土壁にがっと手をつきながら立ち上がる。

結構、根性あるね。

顔面を土と血のエフェクトで汚しながら、サラさんは凄《すご》い表情で私を睨《にら》む。

「魔術なんて、卑怯《ひきょう》よ……」

「そんなこと言われても……」

サラさんは、パッとポーションを取り出すと、それをそのまま嚥下《えんか》する。

あれは、ショートカットメニューでポーションを登録してるのかな？　便利そうだね。私も後で登録しようっと。

サラさんの体から緑色の光が溢《あふ》れて、ダメージが引いていくのを見るに、まだまだやる気ってことかな？　うーん。こっちは凄《すご》く気を使わないといけないから大変なんだけど。もっと簡単に終わらないかなぁ……。

「あのー、私に【鑑定】かけてみます？　抵抗しませんから」

そうすれば、自分が今、どれだけ無謀なことをやっているのかが理解できると思うんだけど。

「【偽装】スキルで誤魔化しているPK《プレイヤーキラー》のステータスなんて見ても無意味でしょう？」

PK《プレイヤーキラー》？　思わず、辺りを見回しちゃったよ。

そしたら、直感さんが危ないっていうもんだから、一歩下がる。その目の前を剣の刃が通り過ぎていくのが見えた。いや、不意打ちとかズルくない？

「また、運良く！」

運より、直感だけどね。

サラさんが一息で私との間を離す。ヒットアンドアウェイが得意なのかな？　それとも、私がひょいひょいと攻撃を躱《かわ》すから戸惑っているのかな？

でも、今のでよくわかった。

サラさんは、私をPK《プレイヤーキラー》と勘違いしてるみたい。そんなんじゃないのにねぇ。

「私、PK《プレイヤーキラー》じゃないですよ？」

「こんな夜中に森の中で私を待ち伏せておいて、よく言うわね！」

自意識過剰が凄《すご》い！　それとも待ち受けられるようなことを普段からしているの？　嫌な人

生だね！

でも、シチュエーション的にはそうなるのかな？

というか、ガガさんの体調も心配だから、そろそろ帰りたいんだけど？

「あの ー、そろそろ剣を返して、ごめんなさいしませんか？　私も暇じゃないので」

「盗《ぬす》っ人《と》猛々《たけだけ》しいわね！　この剣がもう自分の物になったつもりなの！」

「いや、元々私のものだよ！　何で、盗《ぬす》っ人《と》に盗《ぬす》っ人《と》猛々《たけだけ》しいとか言われなきゃなんないのさ！

「はぁ、もういいです……」

こうなったらもう実力差を見せてわかってもらい、剣を返してもらおう。

私はツカツカとサラさんに近寄っていく。

サラさんはそんな私を見て面白そうに目を細めると、実に澱《よど》みのない動きで私に剣を振るう。

これ、剣術が発動してるのかな？　上からも下からも左右からも、縦横無尽に迫ってくる剣を私はステータスに任せて、しゃがんだり、ジャンプしたり、ステップしたりして、全て紙一重で躱《かわ》す。うん、余裕で躱《かわ》せるね。無駄な動きが多いとは思うけど。

「馬鹿な！　何故《なぜ》、当たらない！　当たれば、当たりさえすれば！」

うーん。当たってあげれば実力差がわかってもらえるのかな？　私は足を止めて、覚悟の上で一撃を受ける。

ガンッ。

「痛っ」

「は？」

右腕で受けたけど、新聞紙を丸めて硬くした棒で殴られたぐらいの威力はあったよ。

まぁ、私の物防は二百を超えているから切断されるみたいな事態にはならなかったけど、刃物を腕で受けるっていうのは想像以上に怖いね。それが、鎧《よろい》部分だとしても、怖いものは怖い。二度とやりたくないよ。

そして、痛みに耐えた私を見て、一瞬呆然《ぼうぜん》とした表情を浮かべたサラさんだけど、次の瞬間には満面の笑みを浮かべる。

「ふふ、受けたわね？　この剣は、物理ダメージだけではないの！　さぁ、燃え尽きなさい！」

その言葉と共に私の腕から、勢い良く炎が噴き出す。

おぉ！　ガガさん、魔剣の製作に成功したんだね！　これは、素直におめでとうだよ！

「物防に特化してビルドしてあろうとも、この剣で斬られたならとんでもない魔力ダメージが入る！　これであなたは終わりよ！」

私は意識して視界の端にＨＰバーを呼び出す。

うん。言われないと気付かないレベルで減ってないんだけど。

どうしよう？　痛がった方がいいのかな？

というか、今、気付いた！　超硬い私を剣で叩《たた》いたりして、剣が曲がったり折れたりしないよね？　むしろ、耐久値が減る？　いや、なんで私のために打ってもらった剣を私の高防御のせいで耐久値減らされなきゃなんないのさ！

「いや、うん。満足してくれたんなら、そろそろ剣を返してくれない？　いや、本当、真面目な話」

これ以上無茶されて、耐久値減らされたくないんだけど。

「む、無傷……？」

「いや、ちょっと熱かったよ。あつって感じ」

マグカップにコーヒーを注いで、取っ手を持たないでマグカップを掴《つか》んじゃったくらいには熱かったよ？

だけど、サラさんにとっては攻撃が効かなかったことが相当ショックだったみたい。

面白い顔を見せて固まってしまっている。

そして、ジリッと一歩下がったよ。

いや、逃がさないからね？

慌ててサラさんの背後に移動すると、サラさんが驚いたように肩をビクッとさせる。

「！　き、消えた⁉　一体どこに⁉」

あ、結構、敏捷《びんしょう》に差があると相手の動きが見えなかったりするもんなんだ？

でも、サラさんみたいにぐるぐるとは回らないよ？

【アースウォール】による危険性が既に証明されたからね。

「私、メリーさん。あなたの後ろにいるの……」

「ヒィイイイイ！」

冗談のつもりで、肩にポンッと手を乗せて、そう言ったら半狂乱で剣を振り回してきたんだけど！　危ないなぁ！　当たったら、耐久値減るじゃん！

超至近距離での攻撃を全部躱《かわ》しながら、私はどうしたら良《い》いのか腕を組んで考える。

どうやら、そんな様子も怖いらしく、サラさんの攻撃速度がどんどん速くなっている気がするけど……まぁ、誤差だね。

「ば、バケモノめ！　こっちに来るな！」

一生懸命に剣を振るうサラさんに実力差はわかってもらえたと思うんだけど、まだ剣を返してもらえない。あとひと押しだと思うんだけどなぁ……。

あ、そうか。多分、サラさんは私が防御寄りの育て方をしていると思っているから、まだ心に余裕があるんじゃない？

でも、現実は完全にオワタ式の場面に立たされてるってことを理解したら、ごめんなさいして剣を返してくれるんじゃないかな？

だったら、私の攻撃力を見せないといけないよね！

私はサラさんの周りを纏《まと》わりつくようにして避けていたのをやめ、後ろに下がる。

その様子を見て、滅茶苦茶《めちゃくちゃ》に剣を振っていたサラさんがあからさまにホッとした顔をするけど、本番はこれからだ。

私は地面に半ば埋まっていた大きめの石に手をかけると、それを引っこ抜こうとする。

ん？　ちょっと重い？　でも、上がらない重さじゃないかな？

「ヨイショッと」

もりもりもりっと地面が盛り上がり、結果として、私の手には五メートルを超える巨大な岩が掲げられていた。少し大きすぎたかもしれない……。

それを見たサラさんの顔面は蒼白《そうはく》だ。

そして、私はその巨大な岩の端っこを持ちながら、「避けてくださいよー」と言いながら放り投げる。ゴウッと風を切る音を残しながら飛んだ大岩はサラさんの傍《かたわ》らを抜けて、森の木々をボウリングピンのように薙《な》ぎ倒《たお》して進み、そして最後にはどこかの大木に当たって止まった。

うん。私ってボールとか投げるのあまり上手《うま》くないから、当たるとは思ってなかったけど、結構ギリギリだったね。危なかったー。

しかも、避けてって言っているのに、サラさん一歩も動いてないし。

腰を抜かしたのか、その場に倒れ込んでいるし。

チョロチョロチョロ……。

え？

サラさんを見ると、股間が濡《ぬ》れている。

嘘《うそ》でしょ⁉　このゲームってそんなところまで実装しているの⁉　運営の中に変態がいるでしょ！　頭オカシイんじゃない！

あ。頭オカシイから、デスゲームなんて始めたんだ。納得……。

「本当は、こんなことしたくないんだけどね？」

私はパシャリと眼《め》の前《まえ》の光景をスクリーンショットで撮って、デジタルタトゥーとして保存する。

そして、そのまま茫然自失《ぼうぜんじしつ》の体《てい》のサラさんのすぐ近くにまで行って、地面に転がっていた私の剣を拾い上げていた。

「今後、私やガガさんに危害を加えようとしたら、貴女《あなた》の今の恥ずかしい写真を掲示版にばら撒《ま》くから、これ以上関わらないでね？」

「…………」

答えがないので私は強引に両手で彼女の頭を摑《つか》むと、無理矢理にこちらを向かせる。

「わかった？」

「ひゃ、ひゃい……」

「よろしい」

私は優しくサラさんの頭を離すが、彼女は未《ま》だ恐怖の呪縛から逃れられないのか、そのまま
コテンと地面へ倒れ込んでしまった。

うーん。そんなに脅したつもりはないんだけどなぁ。

それよりも、今はガガさんの方が心配だ。

この剣を持って帰ることで、少しは元気になってくれると良《い》いんだけど……。

Player

サラ

[種族] 吸血鬼(吸血鬼)
[性別] ♀
[年齢] 237歳

STATUS

【LV】	19
【SP】	2
【HP】	264/264
【MP】	168/168
【物攻】	33(×1.2)(+9)
【魔攻】	21(×1.2)
【物防】	35(×1.2)(+11)
【魔防】	15(×1.2)
【体力】	27(×1.2)
【敏捷】	156(×2.4)
【直感】	164(×2.4)
【精神】	17(×1.2)
【運命】	15(×1.2)

[コモンスキル]

双剣術Lv3／剣術Lv4／回避Lv2／鑑定Lv1／
悪路走破Lv2／風魔術Lv2

[ユニークスキル] ▶神速

敏捷と直感のステータスを2.0倍にする。
動作が速くなるだけでなく、思考も高速化する強力なスキル。

[種族スキル] ▶吸血

血液を嗜むことによって物攻／敏捷／直感のステータスが1.2倍になる。

[夜の眷属]

日中は全てのステータスが0.8倍になり、
夜は全てのステータスが1.2倍になる。
闇に潜む者よ、陽に怯え、暗がりを友とせよ。

264
168
2

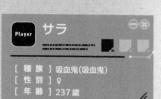

第九章　走れヤマモト、メロスよりも早く！

「ガガさん！　流石《さすが》にワーカホリックがすぎるよ！」

「おう、戻ったか……わーか？　何だそりゃ？」

月が真上に出ているぐらいの深夜にガガさんの工房に帰ったら、作業場の方からカンカンと音がするから、「まさか……」と思って見に来たら、ガガさんが剣を打ってるし！　死にかけたんだから、そこは大人しく休もうよ!?

「ガガさん、わかってる!?　もうちょっとで死にかけたんだよ!?　それなのに、もう剣を打とうとするなんて！」

「俺は、オーガ種だからな。他人よりも断然タフなんだよ。ま、おかげでなかなか剣を手放さなかったせいか滅多斬りにされたがな。へへへ……」

いや、笑い事じゃないよ！　そこは、安全第一で剣を手放そうよ！

「まぁ、待ってろ。奪われた剣の代わりはすぐに打ってやるからよ。おっと……」

ガガさんがハンマーを取り落とす。珍しい……。

いや、それよりも剣の件を報告しとかないと！

「それは、もういいよ！　剣は奪い返してきたから、ほら！」

「マジかよ……。お前、たまにとんでもねぇな。俺すらも相手の動きが全く見えなかったってのに、どうやって取り返したんだ？」

「そこは、懇切丁寧に返してってお願いしたら、返してくれたよ」

「それだけで、返してくれる相手かぁ？」

ガガさんの疑いの眼差《まなざ》しを避けるようにして、私はガガさんが取り落としたハンマーを拾う。

「まぁ、ちょっとOHANASHIしたかもしれないけど……」

そこで、私は気付いてしまう。

ガガさんの右手にぐるぐると巻かれた革ベルトの存在に……。

「ガガさん、その右手……」

「あー、こうやってベルトで固定しねぇと、どうしても右手からハンマーがスッポ抜けんだよ。どうも、斬られた後遺症みてぇだな。右手に全然力が入らねぇや。ハッハッハッ」

「笑い事じゃないよ！　それ、きっと私のせいだ……。私の【ヒールライト】が未熟だったから……」

スキルレベルをもっと上げておけば、こんな事態にならなかったのかもしれない。顔から血の気が失《う》せていく。

だけど、ガガさんはそうじゃないとばかりに首を振る。

「初級回復魔術の【ヒールライト】じゃあ、深い傷ってのは回復し切れねぇんだ。気にすんな。

それに命が助かっただけでも儲《もう》けもんだろ」

「でも……」

「でもクソもねぇ！　お前さんは俺の命を救ってくれた！　そして俺は助かった！　それでいいじゃねえか！」

「けど、その腕じゃ、ガガさんが剣を打つのはもう無理じゃない……」

「なぁに、腕は二本あんだ。時間はかかるかもしれねぇけど、左でできるようにすりゃあいい。知ってるか？　オーガ種ってのは結構長生きするんだぜ？」

屈託のない顔で笑うガガさん。ガガさんの中ではもう心の整理ができているのかもしれないけど、私の中ではそんなに簡単に割り切れることじゃない。別に私のせいじゃないけど、でもやっぱりガガさんが長い間満足に剣を打てなくなるのは嫌だ！

私は必死で考えた末に、ガガさんにひとつの質問をぶつける。

「【ヒールライト】以上の回復魔術だったら回復するの？　例えば、【蘇生薬《そせいやく》】レベルの回復魔術ができたりしたら？」

「【蘇生薬《そせいやく》】レベルの回復力までは要らねぇよ。ただ、そうだな。【ヒールライト】の上位の魔術だったなら治るかもしんねぇな。ま、その辺は俺も詳しくはねぇけど……」

「ガガさん！」

「あん……？　──おわっ⁉」

私は【収納】から簡単に食べられる料理を取り出して、その場に並べていく。これだけあれば大丈夫かな？

「なんでぇ、こんなに料理を並べて……」

「私、少し出掛けてくるから！　三日分くらいはあるから、それで食いつないで！」

「は？　出掛けるってどこにだよ？」

「街だよ、街！　今から行けば、朝の開門ぐらいには間に合うでしょ！」

私はそう言いながら工房を出ると、【馬車召喚】を行う。

目指すは、エヴィルグランデ。この時期、本当は街に寄りたくはなかったんだけど、早朝の人が少ない時間帯ならヤマモト探しに目撃されることもないでしょ。

私は馬車の前面にある御者台ではなく、馬車の内部のコクピットのように改装した部分に乗り込むと手早く行き先を指定する。こういう時に自走式だと楽だね！

「モンスターも道も無視して、街へ一直線のルートをとるよ！　そしたら、ギルドにダッシュだ！　蛇《ラミア》の道は蛇……あの人ならもっと詳しいことも知っているはず！」

私はミニマップ上から行き先を選択すると、そこまでの経路を一直線に指定して、馬車を走らせるのであった——。

◆
◇
◆

森の中を散々に破壊した馬車がエヴィルグランデの門の前に辿《たど》り着《つ》いたのは、山際《やまぎわ》がようやく明るくなりかけた頃だった。私は馬車で派手にドリフトを決めながら、雑魚《ざこ》モンスターの一匹を轢《ひ》くと、そのまま【死の宣告】を行ってトドメを刺してから馬車を送還する。

エヴィルグランデの門はようやく開き始めたタイミングなのか、通行する者は思いのほか少ないようだ。私はその流れに乗って、街の中へと足を踏み入れる。まだ雑踏というには薄いざわめきを耳にしながらも、私の足は迷いなく私がよく知る建物へと向かっていた。

「ミレーネさん、いる⁉」

「いるわよー。さっき起きたばかりだけど……」

扉を勢い良く開けて、商業ギルドに飛び込んだところ、どうやらミレーネさんはいてくれたようだ。良かった……。

「緊急事態だから、助けてほしいんだけど！」

「緊急事態？　朝からきなくさいわねぇ……」

寝ぼけ眼を擦っていたミレーネさんの顔がようやくシャキッとし始める。

でも、寝癖ボサボサなのはいただけないけどね！

けど、こっちだって緊急事態なんだ！　グズグズしている暇はないとばかりに、私はカウンターの席に腰掛けて、ミレーネさんと向き合う。ミレーネさんは、そんな私のためなのか、グラスに一杯の水を汲《く》んで渡してくれる。ひと息で飲んじゃうよ。グビッとね！

「ぷはっ！」

「そんな慌てないでも。私は逃げないわよ？」

「ミレーネさんはそうかもしれないけど、ガガさんが大変なんだよ！」

「ガガくんが？」

私の言葉にミレーネさんの顔がちょっとだけ曇る。その様子だと、ガガさんの存在は商業ギルドでも無視できるような存在じゃないみたいだね。まぁ、実質A級の鍛冶師なんだから、なかなか替えの利《き》かない存在だろうな、とは予想していたけれど……。

「落ち着いて聞いてね？　ガガさんが強盗に襲われて怪我《けが》しちゃったんだ。主だった傷は私が魔術で治したんだけど、右手の深い傷だけがどうしても治らなくて……」

「利《き》き腕《うで》を？　それはちょっとマズイわね……」

ミレーネさんもマズいって認識なんだね。

むしろ、ガガさんに聞いたんだけど、ガガさんが怪我《けが》を甘く見すぎなんだよ！

「で、ガガさんに聞いたんだけど、【ヒールライト】の上位の魔術なら、もしかしたら治るかもって話を聞いて……それでもしかしたら、ミレーネさんならそういう魔術が使える魔術師にツテがないかなって思って！」

「なるほど、そういうことね。まぁ、あるにはあるけど……」

「お金なら出すよ！」

こういう治療行為には、喜捨とかお布施《ふせ》とか、そういうものが必要なんでしょ？　魔物族側の国に教会みたいなものがあるのかどうかは不明だけども。

でも、今は習作の儲《もう》けで、少しは蓄えがある状態だ。お金の問題でなんとかなるのであれば、そこをケチりたくはない。

覚悟を決めた目でミレーネさんを見つめるけど、ミレーネさんは軽く首を振って答える。

お金の問題じゃないってこと……？

「【ヒールライト】の一段階上の魔術は【エリアヒール】といって、その魔術では重度の損傷は治せないの。そういった怪我《けが》を治すには、二段階上となる【シャインヒール】という魔術が必要となるわ。そして、それだけの魔術が使えるほどの技量の持ち主となると……とても忙しい身分の人となるの。私なんかのツテじゃ、多分、動いてくれないわね」

一般人の怪我《けが》程度では枢機卿《すうききょう》は動いてくれません……みたいなこと？

それはそうかもしれないけど……。

「時間がかかってもいいから、その人に会うことはできないの？」

とにかく約束でも何でもして、ガガさんを診てもらおうと思っていた私に、ミレーネさんの冷たい言葉が突き刺さる。

「ヤマモトちゃん、よく聞いてね？　そういう体の異常は、なってから三日で体に定着すると言われているわ。つまり、その体の損壊が通常の状態として、体が認識するリミットが三日なの。アポをとってから三日の間に治療を行うことは、ほぼ現実的に不可能よ」

「そんな……」

折角、ここまで来たのに……。絶望で目の前が真っ暗になってしまう。

たった三日で状態が定着してしまうというのなら、帰りの道程も考えれば実質一日でどうにかしなきゃいけないってことだ。私自身の【光魔術】のレベルを上げて、【シャインヒール】を覚えるという手もあるけど、現状、一段階上の【エリアヒール】すら覚えていない状態だから、とても間に合うとは思えない。

それとも冒険者ギルドで回復魔術の使い手でも募ってみる？

でも、見つからなかったら、挽回《ばんかい》できないほどの時間をロスしてしまうかも……。

どうしたらいいの……。どうしたら……。

その時、私の中で直感さんが仕事をする。閃《ひらめ》きに近いものが私の中で瞬《またた》いた。

「ミレーネさん、【シャインヒール】に近い効果の薬とかあったりしないですか！　重度の傷を治すような薬とか！」

「ある……わよ。あるには、あるわ。その名も【再生薬】っていうんだけど……」

「それ、売ってください！」

「ごめんなさい。【再生薬】は完全受注生産で在庫が残ってないのよ。しかも、作れる錬金術師がこの街にいないから、第四都市のフォーザインにまで遣いを出して注文しないといけないの。そんなことをやっていたら、確実に三日が過ぎてしまうわ」

どうして……。

ようやく光明を見つけたと思ったのに、その光明すらも消されてしまうというの……？

「他の薬だったら、まだ在庫があったりもするんだけどね。【再生薬】は【錬金術】スキルに加えて、【調合】スキルもそれなりのレベルで必要だから、製作できる人が限られてしまって……。どうしても、各街で在庫が不足しがちなのよ」

【再生薬】を作るには、【錬金術】と【調合】の二つのスキルが必要だけど、その二つをきっちりと伸ばすような人材は稀《まれ》だから、【再生薬】の在庫も枯渇《こかつ》しているということみたい。【再生薬】って名前だけを聞くと、【蘇生薬《そせいやく》】よりもランクは落ちるように思うけど……。

――!?

「ミレーネさん！　もしかして、【再生薬】ってC級のレシピにあったりします!?」

「そうね。C級の【錬金術】のレシピにあるはずよ」

ビンゴ！

【蘇生薬《そせいやく》】がB級のレシピだって言っていたから、それよりもランクが落ちる【再生薬】がC

級のレシピにあるかもと思って尋ねてみたら大当たりだよ！　だったら、やりようはある！

「ミレーネさん、【再生薬】の素材って集められます⁉」

「集めても良《い》いけど、レシピはC級になってからじゃないと公開できないわよ？」

「問題ないです！」

私はそう言うと、掲示板に貼ってあったD級の依頼を、その場から全て引《ひ》っ剝《ぺ》がしていく。

「ちょ、ちょっと！」

そして、引《ひ》っ剝《ぺ》がした依頼書全てを、ドンッとミレーネさんの目の前へと置いていた。

その依頼書の山にゲーム開始直後の無責任な生産職希望者の姿でも思い出したのか、ミレーネさんは怖い顔だ。

だけど、私だって引き下がるつもりはない。

いや、そもそも、既に準備は整っているのだ。ここで退く理由がない！

「コレ、全部受けます！」

「ヤマモトちゃん、自分が何やってるかわかってるの……？」

「大丈夫です。素材は全て森の中で集め終わっています！　あと、奥をお借りしますよ？　丸一日で終わらせますんで、貸し切りでお願いします！」

私はそう言って、調合室と錬金室がある商業ギルドの奥へと向かうのであった。

◆◇◆

頭が熱い。目が腫れぼったい……。

ともすれば、閉じてしまいそうになる瞼《まぶた》を無理矢理こじ開けながら、睡魔と戦——えずにスパッと負けて、私は大木に馬車ごと衝突して目を覚ました。

「あー、久し振りの徹夜仕事はこたえるわー……」

めきめきっと、衝撃に耐えかねた大木が根元から折れる中で、私はショボショボとする目を擦りながらも、自分の胸元に光る銀色の輝きに意識を覚醒させる。銀色のギルドカードが朝日に輝いて眩《まぶ》しいなぁ……。

「急ごう。治る確率は経過時間が短ければ短いほど高いって話だったし……」

私はクラクラとする頭を振りながらも馬車を急いで走らせる。

これ、もしかして睡眠をとってないから、デバフがかかっているのかもしれないなーなんて思いながらも、私は乱暴な運転で森の中を爆走していた。

◆◇◆

話は三時間ほど前に遡る――。

エヴィルグランデの商業ギルドでは前代未聞《ぜんだいみもん》というべき事態が起こっていた。

「オッケー。全て品質に問題はないみたいね」

品質はあらかじめチェックはしていたんだけど、やっぱり改めてミレーネさんに確認されるとドキドキしちゃうね。

でも、無事に全て済んだみたい。良かった……。

「それにしても、一日でD級の依頼を全て終わらせちゃうなんて前代未聞《ぜんだいみもん》よ？」

「疲れました」

「あなたが作った錬金アイテムも調合アイテムも全部一人で品質確認させられている私の方が疲れたわよ……」

「でも、ミレーネさん、途中で私の出した料理をアテにしてお酒飲んでたじゃないですか」

「普通、商業ギルドは夜中まで開けてないの！　それを捻《ね》じ曲《ま》げてまで、ヤマモトちゃんに協力したんだから、それなりの役得があってもいいじゃない！」

なお、ミレーネさんは夜中に散々飲んでいた様子だったのに、二日酔いの気配すら見えないのは何なんだろう？　やっぱり、蛇なだけにウワバミなんだろうか？　それとも、お酒のアルコール度数が低い？　うーん、謎だ。

「とにかく、おめでとう。これでヤマモトちゃんもC級のギルド員よ」

ミレーネさんから丁寧に手渡されたのは、銀のギルドカード。私はそれを受け取って、銅のギルドカードを返す。

C級かぁ。これでようやく一人前って感じなのかな？　よくわからないけど。

まぁ、何となく感慨に浸ってしまうぐらいには疲れた。

でも、あとひと踏ん張りが必要なんだ。私は気合を入れ直す。

「それと、これ。【再生薬】の素材とレシピね」

▼ミレーネから特薬草×15を受け取った。
▼ミレーネから聖水×15を受け取った。
▼ミレーネからスライムの核×30を受け取った。
▼ミレーネから時兎《ときうさぎ》の尻尾×3を受け取った。
▼ミレーネから空瓶×3を受け取った。

「急なことだったから、試作含めて三回分の材料しか集められなかったけど、ヤマモトちゃんなら大丈夫でしょ？」

「レシピまで……いいんですか？」

「レシピはタダだけど、材料はタダじゃないわよ？　分割で上納金に上乗せしておくから、売り上げで支払ってね？」

そこは、安くならなかったみたい。ガッカリ。

「じゃあ、もう一度、奥借ります」

というわけで、材料を持って再度錬金室へと向かう私。一時間後には、何とか【再生薬】を二つ作ることができたので、失敗作一つも成功作に変化させることができたよ。何を言ってるのかわからないと思うけど、私にもわからないよ！　全ては【バランス】さんが悪い！

◆◇◆

そんなわけで、私は絶賛、ガガさんに【再生薬】を届けるために馬車で爆走中だ。ちょっと前まで、「待てー！」だとか、「止まれー！」だとか、後ろから聞こえていたような気がしたけど、森の奥に入るにつれて聞こえなくなったから、まぁ、気のせいってことかな？

で、そんな無茶な走りもようやく終点を迎える。

ガガさんの工房であるお洒落《しゃれ》ハウスが見えてきたところで、適当なモンスターを【死の宣告】を行いながら轢《ひ》き殺《ころ》し、私は馬車を素早く飛び降りていた。

「ガガさ――……ん？」

てぃっ、と格好良く降りたつもりだったけど、ガクンと腰が砕けて膝が笑う。そして、そのままドシャリと私は地面に突っ伏していた。

「あれ？　何かおかしい……？」

フラフラとしながらもなんとか体を引き起こして立ち上がる。いや、私の状態異常よりも、ガガさんの方が優先だ。今の時間帯だと作業場かな？

「ガガさーん。あっ、ガガさ……んんっ？」

ガガさんはお洒落《しゃれ》ハウスの広い前庭にでんっと立っていた。

だけど、その格好はいつものバンダナに薄汚れた作業着姿じゃない。上から下までを金属製の防具で覆い、どこにひと狩り行くんだろう？　ってぐらい、ドデカイハンマーを逆さにして地面に置いている。そして、衛兵か何かのようにその場に仁王立ちだ。

私は思わず辺りをキョロキョロと見回してしまう。

「え？　何？　何かが襲ってくる感じ？」

「あぁ、来たな。森をドッカンドッカン破壊しながら、急速に近付いてくる馬鹿がな」

「そんな危険な相手が来たの？　私も協力して戦おうか？」

「お前のことだよ！　なに、身に覚えがありませんみたいな顔してやがんだ！　モンスターの集団暴走《スタンピード》かと思って、フル装備になっちまったじゃねぇか！」

どうやら、居眠り運転のツケがきたようだ。ガガさんに叱られちゃったよ。

というか、このゲームの中にもモンスターの集団暴走《スタンピード》ってあるんだね。

運営が手ぐすね引いてそうだから、気をつけないといけないかも。皆が攻略を進めずに街に引き籠もり始めたら、絶対にプレイヤーを追い込むために引き起こす気がするよ。

「まぁ、集団暴走《スタンピード》じゃねぇってんなら別にいいんだ。茶でも淹《い》れるから飲むか？」

「あ。濃いめでお願いしまーす」

ガガさんの淹《い》れるお茶って苦いんだよねー。最初は、飲むたびにイーッてなってたんだけど、徐々に慣れてくるにつれて苦みが癖になってきちゃってねぇ……。

——って、今はそんなことはどうでも良《い》いんだよ！

「いや、そんなことより！　ガガさん、コレ飲んでほしいんだけど！」

「あん？」

私は今朝作ったばかりの【再生薬】を【収納】から取り出すと、それをそのままガガさんに手渡す。私はそのままガガさんが薬をひと息に呷《あお》る姿を期待するのだが、ガガさんは不審そうな顔で【再生薬】を矯《た》めつ眇《すが》めつ眺め始める。

「なんだ、この紫色の液体は？　クソ不味《まず》そうじゃねぇか？」

「クソ不味《まず》いかもしれないけど、ほら、お茶だと思って、ググッと！」

「クソ不味《まず》いとか言われたものをググッといくと思うか？」

「ガガさんの……、ちょっと良《い》いとこ、見てみたい……、——ダメ？」

「上目遣いとその声やめろ！　サブイボ出るわ！」

折角の上目遣いあんど甘い声おねだりをしたのに、その感想は酷《ひど》くない？

けれど、流石《さすが》に私がジーッと眺めているのに根負けしたのか、ガガさんは覚悟を決めると、【再生薬】を一気飲みしてくれたよ。漢《おとこ》だねぇ……。

「オゥエッ！」

その後で、庭の草の上に四《よ》つん這《ば》いになってえずいているけど、良薬口に苦しとも言うからね。仕方ないね。

「オエッ、ゲロマヂぃ……。なんだこれ……。庭の草食った方がマシだぞ……」

「じゃあ、これ」

「そう言って、庭の草を渡す奴《やつ》があるか！」

口直しに良《い》いかと思ったんだけど、手を払われちゃった。

でも、そのおかげで、ガガさんも気付いたみたいだね。巨大ハンマーを持てるようにと、革のベルトでガチガチに固めていた自分の右手をしげしげと眺めると……。

「ふんっ！」

力を右腕に込めることで、革のベルトが全部弾《はじ》けとんじゃったよ！　まるで、ほうれん草を食べたポ◯イみたいなパフォーマンスに私の目も丸くなる。こんな漫画みたいなことできる人いるんだね。

「テメェ、俺に何を飲ませやがった！　右手の感覚が完全に戻ってるじゃねぇか！」

「【再生薬】だよ、【再生薬】！　ガガさんのためにわざわざ【調合】したり、【錬金】したりしてきて大変だったんだからね！　感謝してよ！」

「うるせー！」

ポカリとやられる。なんで⁉　頑張ったのに⁉

「ありがとよ……」

照れ隠し⁉　あと、そのまま頭を撫《な》でないでほしい！　髪が乱れるから！

「もー！　ガガさん、髪乱れるからやめて！」

「おー、悪い、悪い」

ガガさんの手から逃れたんだけど、あれ？　視界がグラグラ揺れている？　さっきから、何なの、これ！

▼連続しての二十四時間以上のゲームのプレイは健康を害する恐れがあります。
▼ゲームを強制的にログアウトします。
▼強制ログアウトが拒否されました。
▼現在ゲームの進行上、ログアウトすることができません。
▼強制的に意識をシャットダウンします。

　あー、ＶＲ機器《ヴァーチャルギア》に内蔵されている二十四時間制限機能が働いたかー。これは、ＶＲゲームのやりすぎによる健康被害が多発したことから、ある時期よりハードに組み込まれた機能だ。

　二十四時間以上のゲームの連続プレイを検知するとハード側が強制的にゲームを終わらせる、もしくはゲーム内の意識を強制的に睡眠モードに移行するらしい。

　私もこの状態になるのは初めてだけど、ネット上では割と有名な話だった。だから、気付くことができた。けど、現在ＬＩＡはログアウト不可能な状態だから、この後、私は強制的に意識を落とされて眠っちゃうみたいだね。

　そういえば、ゲーム内時間で二日間ぐらいずっと起きてたかな……？

　そりゃ、引っかかるかー。

　ちなみに、現実時間とゲーム内の体感時間が違ったりするのはＶＲＭＭＯＲＰＧあるあるなんだけど、ＬＩＡでもそういうのはあるみたい。私が活動していた時間を考えると、大体二倍くらいに加速されているのかな？　そんなことを考えていたら、流石《さすが》に瞼《まぶた》が堪えられないくらいに重くなってきた。これはダメだね。

「はぁ？」

「ごめん、ガガさん。疲れたから寝るよ」

「ベッドまで運んどいて。おやすみー」

　そう言って、私はそのまま庭の草地の上にぶっ倒れるのであった。

◆◇◆

《ガガ視点》

「何なんだコイツは……」

目の前でいきなりぶっ倒れた銀髪の少女を見て、俺はそう呟《つぶや》くしかなかった。

俺でも敵《かな》わなかった強盗をシバいて剣を取り戻してきたかと思ったら、今度は動かなくなっていた俺の腕を治す薬を持ってきて、かと思ったら庭でいきなりぶっ倒れてやがる。

「行動が唐突すぎんだろ……」

そう呟《つぶや》くしかない。思えば、鍛冶仕事でもロングソードをひたすらに打っていたり、奇行が見え隠れしていたような気がする。――とはいえ、だ。

「ちっ、仕方ねぇな」

俺は地面に倒れたまま、だらしない寝顔を見せる銀髪の少女を抱きかかえると、ゆっくりと工房に戻り、客間のベッドにその少女の体を横たえていた。起こさないように気を使ったつもりだが、そんな気遣いは関係ないとばかりに少女は眠りこけている。

「緩み切った顔しやがって……」

そんな少女の寝顔を見ながら、俺は元に戻った自分の右手の感覚を試すように何度も拳を握っては開いてを繰り返す。一度は諦めた右手の感覚が戻ってきたのは、確かにコイツのおかげだ。最初は便利な小間使い程度にしか思っていなかったのに、コイツのおかげで魔剣の製作も一気に進んだし、飯だって大分面倒見てもらっちまってるし、それに【水晶鋼】の手に入れ方まで教えてもらってる。

いや、コイツと知り合ってから、俺貰《もら》ってばかりじゃねぇか？

あぁ、でも剣を打ったか。

だが、あれは正当な仕事として受けたものだ。

だから、俺はコイツにまだ借りを返し切れてない。

「くそ、コイツに借りばかり作って……。B級鍛冶師の名が泣くぜ……」

コイツ……ヤマモトは深い眠りにでもついたのか、全く起きる気配もなく眠りこけている。

コイツに気付かれないで、借りを返すには今が好機か。

「そういえば、コイツが作っていたもんの失敗作があったな。借りを返すことになるかはわからねぇが、少し手を入れてやるか」

余計なことすんなって怒鳴られるかもな。

けどまぁ、感謝ってのは言葉じゃなくて態度だろ。そもそも、言葉で伝えるなんて小っ恥ずかしくていけねぇや。

「さて、どう改造してやろうか」

イタズラを考えるガキになった気持ちで、俺は悠然と作業場へと向かうのであった。

第十章　破門と新たな爆弾

おはよーございまーす。ヤマモトです。

意識を強制的に手放されてから随分と時間が経《た》ったのかな？　起きたら、もうすっかり暗くなっていてビックリだよ！　ここは客間？　ガガさん、ちゃんと運んでくれたんだね。

私は夜目の利《き》く魔物アイ（妖精アイかも？）で、平然とベッドの上から起き上がると部屋を出て食堂に向かう。食堂には淡いオレンジ色の光が溢《あふ》れており、そこから、ちょっと焦げ臭いニオイが漂ってきているようだ。マンションでやろうものなら完全な異臭騒ぎだね。

「ガガさん、おはよー。焦げ臭いねー」

「おはよーじゃねぇよ！　もう夜だぞ！　いつまで寝てんだよ！　あと、そういう時は、思っていても『香ばしいニオイですね』っておべっか使えってんだ！」

「そんなこと言ったら、ガガさんに『うるせー』って殴られるでしょ？」

「うるせー！」

ポカリとはやられなかったけど、起き抜けにガガさんの苛立《いらだ》った声は良《い》い気付け薬になるね。

ん、あれ……？

「というか、ガガさん、自分で夕食作ったの？」

「おう」

食卓に並ぶのは、どこか焦げた炭のような鰻《うなぎ》（？）と、硬い黒パンに具が少ない干し肉スープという質素な、けれどガガさん的には頑張ったであろう夕食だ。

それが、超高級な銀のカトラリーに載っている姿はいつ見ても違和感しかないよね。

私はガガさんの対面に座りながら、頬杖《ほおづえ》をついて口を尖《とが》らせる。

「お腹《なか》空いたなら起こしてくれれば良かったのに。簡単な物なら用意したよ？」

「明日から自分で作るんだ。その予行演習には丁度《ちょうど》いいだろ」

ん？

「いや、明日は私が作るよ？」

「いいや、それは必要ねぇ。つーか、言ってなかったな。お前さんは今日で破門だ」

破門……？　――破門⁉

「いや、私、本当にガガさんの弟子だったの⁉」

「そこからかよ⁉」

ガガさんは面倒くさそうに頭掻《か》いているけど、その辺のことについては実は全然説明してもらってないからね？　むしろ、いきなり破門にされてビックリだよ。そもそも、破門にされる要素あったっけ？

「あー。説明するのもメンドくせー」

そこは、頑張ろうよ！

でも、そんなこと言いながらも、ちゃんと説明してくれるあたり、ガガさんってば本気《マジ》でツンデレ。

「元々、将来性のある生産者を囲い込もうってことで、商業ギルドには師弟制度っていうのがあんだよ。現役バリバリである職人は次代に技を残し、弟子は独り立ちするまで安定した環境で面倒を見てもらえるってのがコンセプトの奴《やつ》だな」

詳しく聞くと、駆け出しの職人というのは客とのトラブルが多かったり、生産物の品質の低さから侮《あなど》られたり、施設や素材の代金が高くて金銭的に困窮したりするケースが多いらしい。そういうのをなくそうというのが、商業ギルドの師弟制度ってことみたい。

で、私はいつの間にか、それに組み込まれていたんだって。

「その制度を利用して、レミーナさん？　レミーネさんだっけか？　……も将来性豊かなお前さんに目をつけて、俺に預けてきたってわけだ。そしてあわよくば、なり手の少ない鍛冶師に就いてもらおうと考えた……ここまではわかるな？」

「うん。私が才能豊かだって理解した」

まぁ、大体【バランス】さんが原因だけどね！

「そこは謙遜しろよ！　……まぁ、お前さんだから仕方ねぇか。それで、フツーの鍛冶師なら自分の後継者って形で弟子を育てていくわけだが」

「うん」

「けど、お前さんは俺の技受け継ぐ気ねぇから、破門な」

理由が雑！

「別に受け継ぐ気はなくもないよ！　教えてくれれば受け継ぐよ！」

「そんな姿勢の奴《やつ》に教えるわけねぇだろ⁉　というか、お前さん、俺のこと師匠とも思ってないだろうが！」

「うん」

「そこは、否定しろよ！」

チュートリアルのオニーサンだと思っておりました。

「そもそも、お前さんは俺が何かを言うよりも先に適当に素材調達してきちゃ、勝手にカンカン剣打ちまくって、自分自身で創意工夫して進んでいけるだろうが！　放《ほ》っといても伸びるような奴《やつ》に師匠なんて要らねぇよ！　つか、むしろ、邪魔だ！　だから、放逐することにしたんだよ！」

そんな鶏を放し飼いで飼っている養鶏家みたいなこと言わないでさー。

「まぁ、言っちまえば、テメェの才能が豊かすぎるんだよ。俺んトコのような小さな工房じゃ収まり切らねぇってことさ」

「ガガさんの工房、私は好きだよ？」

「この工房はよ――」

ガガさんはゆっくりと食事を摂《と》りながら語ってくれる。

というか、その黒い鰻《うなぎ》みたいなの、どうやら蛇みたいだね。黒くなっていたから判別つかなかったよ。美味《おい》しいのかな？

「魔剣作りの研究をするためにわざわざ建てたんだ。忙しすぎず、定期的な収入があり、良《い》い水と良《い》い炭が取れる。そういう場所を選んだ」

「うん」

「で、お前さんのおかげもあって魔剣を作れるようにもなった」

「良かったよね」

「あぁ、良かった。俺はそれで報われた。魔剣を作りたくて、魔剣を研究してきた人生だ。魔剣が作れてハッピーだし、これからもより凄《すご》い魔剣を作り上げていくつもりだ。だけど、お前さんはどうだ？」

私……？

「お前さんは別に魔剣を追い求めてきたわけじゃないだろ？」

「それはそうだけど……」

「世界には俺が追い求めてきた魔剣よりも、もっとスゲェ武器があるかもしれないし、俺たちの想像を遥《はる》かに超えるとんでもない防具だってあるかもしれない――」

私は想像する。

ライトでセイバーな剣だとか、魔力を弾にして撃ち出す魔銃だとか、一瞬で鞭《むち》のようにしなる蛇腹剣だとか、空中を浮いちゃうシールドのようなファ○ネルだとか。

そんな私の表情を見て、ガガさんは黒パンを齧《かじ》ってからフッと笑みを漏らす。

「やっぱりな。お前さんは魔剣だけをやっているような器じゃねぇよ」

違うと言いたいところだけど、LIAの中でなら色んな夢の武器や武装があったり、もしかしたら自作できるのかもと思っちゃったら、もうダメだ。顔が自然とニヤけちゃうよ。

「相変わらず、顔に出やすい奴《やつ》だな。だからこそ、コイツを作ったんだが……」

ガガさんが食事をする手を止めて、足元にあったそこそこ大きな箱を取り出す。装飾は少なめだけど……これって宝箱？

「開けてみろ」

言われるがまま開けると、バンッと何かが飛び出してきて、そのまま空中に固定される。

え、ナニコレ？　どういう技術？　凄《すご》い！　というか、ほとんど原形がないけど、これって私が作ってたティアラ……じゃなくて、サークレット？　私は思わず【鑑定】する。

【フロートサークレット】
【レア】８　【品質】中品質　【耐久】200／200

【製作】ガガ、ヤマモト
【性能】物防＋7（斬属性）、魔防＋12（全属性）、自動回復（小）
隠蔽LV1
【備考】名工の手によって能力を底上げされたサークレット。材料に特殊な鉱石と特殊な錬金素材を使っているおかげか自然と浮く。
※自動回復（小）：4秒ごとに最大HPの3％を回復する。

「ガガさん、これ……」

元々のデザインは薄《う》っすらと残っているけど、超絶技巧によって調整されたそのサークレットは、もはや王族が着けていてもおかしくない豪華さとなっている。アニメ作画から入って、原作のきめ細かい絵に違和感を覚えちゃうくらいの豹変《ひょうへん》っぷりだ。

あと、サークレットの下部分にもの凄《すご》くきめ細かいヴェールが付けられている。これが、【隠蔽】のスキルを付与するのに役立っているのかな？　それに、材質も変わってる！　ベースとなる鉄に絡《から》み合《あ》っている半透明なコレって、どう見ても【水晶鋼】じゃん！

「ガガさん、これ【水晶鋼】！」

「おう。お前さんの頭が飛ばないようにする仕組みに使ってみたぞ」

ガガさん曰《いわ》く、【水晶鋼】に【獄炎草】ではなく、別の素材を混ぜて打つことで、別パーツ

との距離が一定以上離れないようにしつつ、浮くようにしたらしい。

「何混ぜたら、そうなるの！」

「何でもかんでも教えていたら面白くねぇだろ！　自分で探せ！」

だってさ！　キビシー！

「別パーツの方はチョーカーネックレスにしておいた。首にかけてもいいが、心配なら手首に巻きつけといてもおかしくないデザインにしてある」

そういうトコは細かくて、結構ガガさん味あるね。けど、色々疑問もあるんだよ。

「凄《すご》く嬉《うれ》しいけど、サークレットにヴェールが付いているのは何なの？」

「お前さんは考えていることがすぐ表情に出るからな。表情隠しだ」

何という無駄機能！　私ほどポーカーフェイスが似合う人間もいないのに！

「無駄な機能だって思ってやがるな？　そういうトコだぞ？」

え？　本当に私の感情ってわかりやすい感じ？　なんかショック……。

まぁ、前向きに考えよう！

現状、ヤマモト探しとか流行《はや》っているから、逃れるためだって考えれば有り難《がた》いし！

「まぁ、その装飾品は俺からの破門の餞別《せんべつ》だと思ってくれ」

「破門の餞別《せんべつ》って初めて聞いたけど？」

「別にしたくて、破門にしたわけじゃねぇ。あえて言うなら、お前さんが魔剣程度に収まらない器だったのが悪い」

「そんなぁ」

ガッカリとする私。

ガガさんはそんな私を真《ま》っ直《す》ぐに見つめると、静かに食器を置く。

え？　何、この感じ……まさか告白⁉

「ヤマモトよぉ、お前さんはもっと世界を見て回ってこい」

告白じゃなかった！　ですよね～！

「世界は広い。その広い世界だったら、きっとお前さんを満足させるものもあるはずだ。人、物、出来事、何でもいい。全てを感じ、全てを取り込んでこい。そして、全てを昇華したその先にある『究極』を作った暁には、ソレを俺に見せに来い。その時は、俺も究極の魔剣って奴《やつ》を作っているだろうからよぉ。そしたら……」

そこで、ガガさんはニッと子供っぽく笑ってみせていた。本当、こういう顔が似合う人なんだよなー。ガガさんって。

「それを肴《さかな》に飲み明かそうぜ！」

「いいですけど、ちゃんとしたお酒のツマミは私が用意しますからね？」

「はっ！　世界中の珍味を食いながら飲み明かすってのも悪くなさそうだ！」

ご機嫌にガガさんは笑うけど、どうせなら美味《おい》しい物を取《と》り揃《そろ》えたいなー。何だかんだ、このゲームで美味《おい》しいものを探し求めたり、作ったりするのはライフワークになりつつあるからね。

そこまで考えたところで、ふと気付いてしまった。

「ガガさん……。私、鍛冶師じゃなくて、将来的に料理人になっていたらどうしよう？」

「そこは、鍛冶師一本でいきますって言えよ⁉」

ガガさんに怒られながらも、楽しい時間を過ごす。

でも、ちょっとだけ、この時間が終わっちゃうのかと思うと、寂しい感情があるのも事実だ。

少しだけ、感傷的になっていると、

▼イベント『剣匠ガガの追い求めるもの』をクリアしました。

▼ガガとの信頼度がMAXのため、称号【剣匠の盟友】を獲得しました。

SP5が追加されます。

▼イベントをトゥルーエンドで終えたため、以下のスキルを継承します。

【魔剣創造】スキルLv1を取得しました。

【魔鋼精製】スキルLv1を取得しました。

……。運営ぇぇぇぇぇいっ！

私、特にスキル継承してないのに、スキル継承されてるじゃん⁉
どういう判定してるの⁉　ガバガバだよ！

▼【バランス】が発動しました。
スキルのバランスを調整します。

え。待って？　それ以上はやめてあげて？　お願い、【バランス】さん！

▼【魔装創造】スキルLv1を取得しました。
▼【魔具創造】スキルLv1を取得しました。
▼【魔剣創造】【魔装創造】【魔具創造】スキルを統合します。
【魔神器創造】スキルLv1を取得しました。
▼【バランス】が発動しました。
スキルのレベルバランスを調整します。
▼【魔鋼精製】スキルがLv5になりました。

▼【魔神器創造】スキルがLv5になりました。

アカン。なんか特殊なスキルが増えたと思ったら、統合されてパワーアップされとる……。

これ、ガガさんに教えたら、多分憤死ものの奴《やつ》だよね？　うん、黙っておこう……。

私はガガさんとの夕食の時を過ごしながら、ポーカーフェイスを維持するのに腐心するのであった――。

閑話　その頃の掲示板3

【やっと】デスゲームについて語るスレ　part67【エリア3】

[デスゲームの名無し]
そろそろ一ヶ月半かー
[デスゲームの名無し]
短いようで長いようでやっぱり短いような？
[デスゲームの名無し]
さて、諸君。エリア3にはもう行ったかな？
エリア3は人族側は王国の王都で魔物族側は天空都市らしいぞ？
[デスゲームの名無し]
いけるワケねーだろカス
[デスゲームの名無し]
まだエリア2にも行ってねぇってのっ……
[デスゲームの名無し]

攻略組が創意工夫しながらエリア3まで開拓してくれてるっていうのにオマイラときたら
[デスゲームの名無し]
というか、前まで第○都市っていっていたのに、エリア○っていうようになったのな？
[デスゲームの名無し]
ゲーム内の都市番号と一致しないから変わった
[デスゲームの名無し]
魔王国内ではその大陸の首都？　王都？　を第一都市としてそこから順番にできた順で第○都市って名前がついているんだ。だから、魔物族側は最初の都市でも第三都市から始まる
[デスゲームの名無し]
最初の街なのに第三都市とは一体……ウゴゴ……
[デスゲームの名無し]
だから、第○都市って名称じゃなくてエリア○って呼ぼうってことだな
[デスゲームの名無し]
そういやエリア3でクラスチェンジできるみたいな話なかったか？
[デスゲームの名無し]
できることはできるらしいぞ。人族側は基本四職の戦士、盗賊、魔法使い、ヒーラー以外が選べるらしい。魔物族側はより上位の魔物になれるとか

［デスゲームの名無し］
その選べる職業が知りたいんだが？
［デスゲームの名無し］
今までの戦い方や行動から選べる職業が増えたり減ったりするらしいからな。
これってことは言えないんだわ。すまんな
［デスゲームの名無し］
あなたの行動次第で未来が変わるってか？
［デスゲームの名無し］
最前線の奴《やつ》らもより強そうな職業が出るのを見越して、まだクラスチェンジしてないのか？
［デスゲームの名無し］
でも、アクセルはバーサーカーだろ
［デスゲームの名無し］
アクセルは間違いない
［デスゲームの名無し］
だったら黒姫は聖女だな
［デスゲームの名無し］
あぁん？　様をつけろよデコ助野郎？

[デスゲームの名無し]
出たｗｗｗ　黒姫信者ｗｗｗ
[デスゲームの名無し]
でも、実際、黒姫のおかげでエリア２に行けた奴《やつ》も沢山いるからなぁ
[デスゲームの名無し]
お使いクエのついでで有《あ》り難《がた》い話だわ
[デスゲームの名無し]
いいなー。魔物族側はそういうトッププレイヤーが少ないからなー
[デスゲームの名無し]
でも、最近サラちゃん優しくなってるじゃん
[デスゲームの名無し]
どういう心境の変化なのかね？　前は人と関わりたくないって感じだったのに
今は人が変わったみたいに人を助けてるし
[デスゲームの名無し]
本人は価値観が覆《くつがえ》されただとか、ズルはいけないんだとか言ってるらしいぞ
[デスゲームの名無し]
一週間前ぐらいから変わり始めたよな？　なんかあったんかね？

[デスゲームの名無し]
人生をやり直すゲームだから、人生観ぐらい変わってもおかしくないんじゃね？
[デスゲームの名無し]
人生観まで変えてくるとか、このゲームこえぇよ……

◆◇◆

【Private】　オラクルルーム　【keyはいつもの】
[デスゲームの裏ボス]
ちょっと思ったんだけど、剣匠ガガの件って大丈夫だよね？
[デスゲームの裏ボス]
なんだよ、やぶから棒に
[デスゲームの裏ボス]
ガガは良《い》いキャラだよな。王都でも天才って言われるほどの才能を見せていたのに、魔剣に取《と》り憑《つ》かれてしまったせいで全てを捨てて世捨て人みたいな生活を始め、その後、執念の末に魔剣を作り出し、夢のＳ級鍛冶師に辿《たど》り着《つ》くという……

このサクセスストーリーがたまらん！

［デスゲームの裏ボス］

そのガガがどうしたって？

［デスゲームの裏ボス］

ほら、この間、クリスタルドラゴンがやられたじゃん？　その時に【水晶鋼】が沢山ドロっているはずなんだけど、それをガガに渡されたらマズイかなーって。

誰だっけ、フラグ管理してたの？

［デスゲームの裏ボス］

出たな。スパゲッティの弊害

［デスゲームの裏ボス］

みんな思い思いに自分の癖入れてプログラムしてるからね。追えなくもないけど、正直見る気にはならないかな

［デスゲームの裏ボス］

普通の企業なら、ヒンシュクものだぞ……

［デスゲームの裏ボス］

ここまでの自由度を実装するにはいちいち確認とってプログラム組んで、とかはやってられないからね。各々《おのおの》の裁量で加えたり、減らしたりした結果だよね。

おかげさまで、誰も全ての中身は把握してないんじゃないかな？
[デスゲームの裏ボス]
しているならマザーだな
[デスゲームの裏ボス]
英断だったよねー。超高性能ＡＩを作り出して、それにゲームバランスを調整させて、全てを統括させるっていうのはさ。人間だったら、多分、過労で死んでるよ！
[デスゲームの裏ボス]
実際、何人かは過労で病院送りになっているがな
[デスゲームの裏ボス]
草も生えないんだよなぁ……
[デスゲームの裏ボス]
気になったから、ガガイベントについて調べてきたよ。結論から言うと問題ないね
[デスゲームの裏ボス]
そうなんですね
【水晶鋼】を持っていたとしても、まずガガと知り合うのが難しい。ガガは気難しい職人キャラなので、知り合いになるには第三者のＮＰＣの紹介がないとダメなんだが、そのＮＰＣと

いうのが商業ギルドのギルドマスターと副ギルドマスターになっている。
だが、この二人は【調合】と【錬金術】のエキスパートで、彼らの好感度を上げるには、【調合】と【錬金術】の依頼の両方をこなさないと好感度が上がらない
［デスゲームの裏ボス］
鬼かｗｗｗ
［デスゲームの裏ボス］
鍛冶師と知り合うのに、【調合】と【錬金術】を取らないといけないんだ？　ＳＰカツカツだね～
［デスゲームの裏ボス］
それだけ【魔剣創造】スキルを警戒しているんだ。いや、その先の【魔神器創造】スキルだけどな
［デスゲームの裏ボス］
けど、ＥＯＤ殺しは生産職という話もなかった？
それを考えるとまだ安心できないと思うけど？
［デスゲームの裏ボス］
ガガと親しくなれば、彼が魔剣に拘《こだわ》っていることはすぐにわかる。だが、【水晶鋼】が魔剣に必要だという情報はきちんとフレーバーを読んでいなければ思いつかないだろう。

また、【水晶鋼】を使ってガガに剣を打ってもらうのも難しい。
ガガは職人タイプのキャラだからな。好感度がなかなか上げにくい上に、すぐに暴力を振るう。パワハラだなんだと言っている昨今の人間には堪えられないストレスだろう
[デスゲームの裏ボス]
メンタル的な試練も仕掛けているの？　性格悪すぎない？
[デスゲームの裏ボス]
まぁ、それらの条件を満たした場合にのみ、剣を打ってもらうことが可能だが、ガガに弟子入りしていた場合は魔剣とは別に、【魔剣創造】と【魔鋼精製】の奥義《おうぎ》スキルが得られる。
ただ、取得にはプレイヤーの総合ステータスが、ガガの総合ステータスを上回っている必要があるから、かなり難しいだろうな
[デスゲームの裏ボス]
取らせる気ないじゃん
[デスゲームの裏ボス]
元々エンドコンテンツのひとつとして考えていたんだ。
こんな序盤に取れるわけがないと、そう言いたかった
[デスゲームの裏ボス]
まぁ、【魔剣創造】が万が一の確率で取得されたとしても、【魔剣創造】と同じぐらいの難易

度で【魔装創造】と【魔具創造】のイベントもあるわけだから、まず間違いなく【魔神器創造】にまで辿《たど》り着《つ》くことはないと思うけどね

[デスゲームの裏ボス]

【魔神器創造】って、そんなにヤバいスキルなの？

[デスゲームの裏ボス]

アイテムクリエイトが制限取っ払って自由にできるって言ったら、ヤバさが理解できるか？

[デスゲームの裏ボス]

ヤバすぎでしょ⁉ なんでも作れるってことじゃん！

[デスゲームの裏ボス]

ま、そんなヤバいスキルが簡単に開放されるわけがないから安心しろって話だ！

[デスゲームの裏ボス]

ふー、良かった。安心したよ……

[デスゲームの裏ボス]

でもまぁ、ＥＯＤ殺しの件もある。

各人、不測の事態も想定して懸命にゲームを楽しむように！

そして、くれぐれも不慮の事態で死ぬんじゃないよ？

こんなところで躓《つまず》いていたら、つまらないからね？

［デスゲームの裏ボス］
あいあいさー！

終章

色々と細々とした身辺整理をしていたこともあり、旅立ちの朝というには太陽が中天にまで差しかかる時間帯になってしまった。本当はもっと朝早くに起きて、きちんと旅立てれば良かったんだけど……と言った私をガガさんはあっさりと笑い飛ばす。

「これぐらいの中途半端《ちゅうとはんぱ》な時間帯の出発の方がお前さんらしいだろ」

「そうかなぁ？」

ガガさんの中での私の評価はどうなっているのか？　すこぶる気になるところではある。

とりあえず、馬車を召喚して屋根部分にひらりと飛び乗る私。運動神経が悪くても、ステータスと【バランス】さんの力があれば、曲芸的な動きも何とかこなすことができる。

私が自分の動きに心の中で喝采を送っていると、

「おいっ」

ガガさんから投げつけられたソレを振り向きざまにキャッチする。

なんだろう？　袋？

「炭を作るのに枝葉を落とすんだが、その時の葉で作った松葉の茶だ。癖はあるが慣れれば、それなりだ。餞別《せんべつ》に持っていけ」

「これかなり苦い、いつものお茶だよね？　ここは素直にありがとう？」

「なんで疑問形なんだよ！　あと、色々言っちまったが、お前さんに世界を見て回ってほしいっていうのは本当だ。けど、その結果を報告しに来るかどうかは――」

「来るよ」

ガガさんの言葉を遮るようにして告げた私の言葉に、ガガさんはきょとんとした顔を見せる。

その感じだと、私が旅した先で骨を埋めて、ガガさんのことをすっかり忘れて過ごしても構わないぐらいのことを言うつもりだったんだろうけど……残念。

私はそんな不義理な人間じゃないからね。

「絶対に戻ってくるから。だから、楽しみにしといてね！」

「そうか……」

複雑そうな、それでいてどこか嬉《うれ》しそうな顔を見せて、ガガさんが笑う。

「だったら、別れの挨拶はいらねぇな。――またな、残念弟子《ヤマモト》」

「うん、それじゃまたね。ガガさん」

私はゆっくりと馬車を走らせる。

特別な言葉は要らない。というか、私とガガさんの仲はそういう間柄ではない。

ガガさんの工房から徐々に離れていくのを背中で感じながら、私は森の中を縫って流れる新しい風を感じて笑みを浮かべる。

「明日は明日の風が吹く、明日はどっちだ旅ガラスってね」

私が楽しみにしていたＬＩＡ《Life is Adventure》はデスゲームという最悪の展開を迎えてしまったけれど……。

「ふんふふ～ん♪　ふんふふ～ん♪」

それでも私はこのＬＩＡというゲームの作り込みや圧倒的自由度の前に、その最悪さえも凌駕《りょうが》する圧倒的な楽しみを見出《みいだ》しつつあるのであった。

補章　山本凛花《やまもとりんか》の日常　～ＬＩＡ《Life is Adventure》を知った日～

「どう、でしたかね……？」

某月某日。私は発注を受けたイラストの依頼について、依頼主《クライアント》とリモート会議アプリを繋《つな》いで話し合いを行っていた。

仕事の内容としては、トレーディングカードゲームの追加エディションパック用に三枚のイラストを描き下ろして納入すること。そして、この会議は納入したイラストについて、相談があるということで開かれたものである。

つまり、物はもう納入している。

今回のイラストは、ジャンルはオーソドックスなファンタジーで描いてほしいということだったので描きやすかったし、このトレーディングカードゲームのシリーズ自体、長期リリースを見据えているとあって、フリーの絵師である私としては気合を入れて描かせてもらった感じだ。

けれど、気合を入れて描いたからといって、それが必ずしもオッケーが出るとは限らないのが、この仕事の難しいところだ。結局は依頼主のイメージに合うかどうかが大事で、イラストが如何《いか》に上手《うま》くても注文通りに作れなくちゃ、それはやり直しということになってしまう。

今回のリモート会議は多分、ソレ関係なんだろうなぁと、ちょっと憂鬱ではある。

『お送りいただいたイラストは全て確認いたしました。大変良かったと思います』

「ありがとうございます」

プロのイラストレーターとして貰《もら》うもの貰《もら》って描いてはいるんだけど、まだ私なんて名前も売れてないぺーぺーだし、こうして真正面から褒められると少しだけ面映《おもは》ゆい。ちょっと照れてしまう。

『ほぼイメージ通りですし、イイ感じだと思います。ただ――』

「あ、はい」

依頼主が言うにはイメージは合っているけど、もう少しイラストに躍動感が欲しいんだそうな。え？　それはイメージが合っていないということなのでは？　と思ったけど、そんなことを言えるわけもなく……ただ「はい」と相槌《あいづち》を打つことしかできない。

『私のイメージとしては、動き回りながら弓を射るイメージだったんですよ。その方がイラスト映えもしますよね？』

そりゃ、イラスト映えは確かにするだろうけど……。

一応、確認のために聞いておいた方がいいのかな？

「このイラストって、エルフの女弓士っていうご依頼ですよね？　弓で狙いをつけて相手を射る直前みたいなイメージで描いてほしいって話でしたけど？」

エルフってそんなにアグレッシブに動く種族じゃないし、躍動感必要なくない？　と暗に言ってみる。伝わっているかはわからないけど。

『そこは動きながら狙いをつける感じのイメージで話していました。なので、このイラストだけ描き直してもらえませんか？　他はオッケーです』

動きながら狙いをつけるってどんなよ？　今、私の中ではゴロゴロと地面を転がってから拳銃で狙いをつける昭和の刑事ドラマのイメージがリフレインされているんだけど？　それで合ってるのかな？　もしくは、００７？

「わかりました。期限はどれくらいまでオッケーですか？」

『二週間でいけますかね？』

「わかりました。とりあえず、二週間でやってみます。できあがったら、またお送りしますね」

というわけで、残念ながら一発納入とはならず。

その後は互いに挨拶を交わしつつ、リモート会議を終了する。

そして、私はリモート会議から退室するなり、椅子にぐだ～っとふんぞり返る。

「はぁ～、よりにもよって、弓士描き直しか～」

矢を射る絵っていうのは割と面倒くさい。洋弓、和弓でデザイン変えなきゃいけないし、射る姿の時は目線の位置に矢がないといけないみたいな制約もあるし、弓が手前にきて顔や体に重なる構図になると、ちゃんとアタリをとって描かないと変になったりもするし、とにかく面倒くさいイメージだ。まぁ、描き始めれば早いんだけどね。

そして、それだけ苦労したとしても、ノーマルカードだっていうんだから、ちょっと泣けてくる。どうせ、有名絵師さんがスーパーレアなんでしょ？　わかってる、わかってる。

とりあえず、今は信用得られるように実績上げていこう。そして、いつかはスーパーレアを描かせてもらえるように頑張っていこうっと気合を入れ直す。

「今はとにかく経験と実績を積むべし、だね！」

ちょっとだけ決意を固めてそう宣言してから、私は椅子から立ち上がる。

そして、おもむろにキッチンへ――。

なんか、喉渇いたや。

「というか、躍動感ある弓士ってなんだろう？　そんな資料あるかな？　弓のイメージって動かずに集中して狙いを一射《いぬ》で射貫くイメージなんだけど……。あー、でもモン○ンとか、そっちの方の弓士なら、動きながら射るイメージかぁ」

なんとなく依頼主が考えているイメージが理解できてしまったかもしれない。

後は、それに添うように可愛《かわい》く描いていけばいい感じかな？

ようやく構想が固まったので安堵《あんど》する。これなら描けそうだ。

「まぁ、とりあえずはイラスト二点納入完了したわけだし、ぷちお疲れ様会でも開こうかな？

冷蔵庫～、冷蔵庫～、お酒～、お酒～」

時刻は午後十時。事前に午後九時からの打ち合わせと聞いて、この時間から外食に行くのは無理だとわかっていたので、事前にお疲れ様会用の食材は買い込んでいたのだ。

流石《さすが》、私。孔明《こうめい》を超えたと言っても過言じゃないぜ！

というわけで、お一人様用のホットプレートを用意して、そこに油を引いて生餃子《なまギョーザ》を敷き詰めていく。じゅうじゅうと三分くらい焼いている間に、グラスと氷とちょっとお高い梅酒を用意――あぁ、でもやっぱり餃子《ギョーザ》にはビールかな？　思い直して、糖質少なめの缶ビールを冷蔵庫から取り出してきてスタンバイ。

餃子《ギョーザ》に焦げ目がついてきたぐらいで、水を投入して蓋を閉めて三分くらい蒸し焼きにする。で、蓋を取ってから一分焼いたところで、餃子《ギョーザ》は完成。大皿に避難させて、キッチンペーパーでホットプレートの水とか油を拭き取ったら、今度はスーパーで買った調味済みのカルビ肉をホットプレートでのんびりと焼いていく。

「それじゃ、いただきまぁ～す！」

あ、餃子《ギョーザ》のタレを作るの忘れてた。急いで冷蔵庫を引《ひ》っ掻《か》き回《まわ》して、めんつゆと七味を持ってきて小皿にめんつゆをちょろっと垂らして、そこに七味をかけてタレが完成。七味はあまりかけすぎないのがポイントかな？

一人暮らしだとラー油とか酢とか小瓶サイズで買っても、結構使い切れないことが多かったりするので、私は苦心の末にこんな感じでめんつゆを餃子《ギョーザ》のタレとして利用している。まぁ、原理的にはレモンペッパー（レモン汁に胡椒《こしょう》を入れて作る）と同じ感じだ。

というか、めんつゆの万能感凄《すご》いよね？　本当、何にでも使えるんだよ。

冷凍うどんをチンしてちょいとかけたり、冷奴《ひややっこ》にちょいとかけたり、そうめんとかソバのつゆにも使うでしょ？　あとは味玉作るのにも使えるし、ホウレンソウのお浸しとかにもかけたり、肉じゃがにも使えたり……正直、醬油《しょうゆ》を買わずに全部めんつゆで済ませているレベルで便利だよねー。

で、そんなめんつゆを使ったタレで餃子《ギョーザ》をあむっと一口。

「かぁっ！」

もちもち触感にカリッとした部分もある皮。嚙《か》むほどに肉汁が溢《あふ》れ出《で》てきて、そしてタレの甘じょっぱさと七味のピリ辛《から》さが渾然一体《こんぜんいったい》となってめちゃめちゃ美味《おい》しい！

更に、餃子《ギョーザ》の油を流し込むようにして、ビールを一口。

「～～～～っ！　はぁぁ、最っ高！」

苦味、辛味、刺激が一気に喉の奥を刺激して、思わず眦《まなじり》に涙が溜《た》まるほどの爽快感！

ビールの苦さに餃子《ギョーザ》のピリ辛感《からかん》が相まって、もう何とも言えない幸福感が私を包み込む。やっぱり油物には炭酸が合うわ～。そして、白米欲しいわ～。けど、糖質は敵なのでここは自粛。

焼き肉も食べることだしね！

というわけで、味付きカルビもご賞味。ぱくっとな。

「はぁ、美味《おい》しひ……」

スーパーで売っていた『フライパンで焼けば、すぐに食べられます』みたいな安い商品だったんだけど、私にとってはちょっとした贅沢《ぜいたく》気分になれる優れものだ。

いや、本格的な焼き肉用の美味《おい》しい肉が買えればいいんだけどね？　私、薄給なんで。だから、せめて気分だけでも上カルビを食べている気分に浸りたいというか……。

というか、調味済みのカルビ肉も普通に美味《おい》しいから！

このお肉の五倍も六倍もするお値段のお肉が、このお肉よりも五倍も六倍も美味《おい》しいのかっていうと、そうでもないでしょ？　せいぜいが二、三倍程度って考えれば、私はリーズナブルに美味《おい》しいものを食べているんだって満足感に浸れるんだよ！

安い女だと笑うなら笑え。でも、幸せってそういうことだと思うんだよねぇ～。

「でも、こんな食事をずっと続けていたら絶対に太る……。そういうのを幸せ太りとでもいうのだろうか？　でもまぁ、今日ばかりは仕方ないよね。ぃよしっ、お疲れ様！　乾杯！」

一人ではしゃいで一人で乾杯する。

まぁ、独身喪女なんて私含めてこんなもんですよ。グビグビグビ。かーっ、ウッメェ！

「……おや？　メッセージ？」

ご機嫌に食事をしていたら携帯電話のコミュニケーションアプリにメッセージの着信を告げ

る知らせが届いていた。誰だろうと思って確認してみると、

「げっ、愛花《あいか》ちゃん」

メッセージを確認したら、妹からの生存確認メッセージだった件。

なんか、ご飯をまともに食べてる？　みたいなことが書いてあるんですけど？

愛花《あいか》ちゃんってば、私のお母さんかっての！

「食べてます～。あ、そうだ。この焼き肉の写真を送っちゃえ！　パシャリとな」

焼き肉と餃子《ギョーザ》の写真を撮ってアプリに貼り付ける。アップしてから気付いたけど、もしかしたら、お母さん経由で私を心配して愛花《あいか》ちゃんがメッセージを送ってきてくれた可能性があるかもしれないね。

ちなみに、お母さんとは今でもずっと気まずい間柄だ。

別に酷《ひど》い喧嘩《けんか》をしたとか、そういうことじゃないよ？

ただ、中学の時に私が不登校になった時に、お母さんは無理矢理にでも私を学校に通わせようとしていたって過去があるんだよ。

お母さん曰《いわ》く『お母さんの時代にも、イジメなんてあったし、イジメられるのはアンタにも責任がある』ってことらしい。いやいやいや、原因あるとしたら、私の容姿が色々と問題あるってことで、それを改善するとか無理ですから。

まぁ、とにかく古いタイプの考え方のお母さんだったってわけだ。

ちなみに、お父さんは行きたくないなら行く必要はないっていう放任主義派。

なので、お父さんとお母さんの意見が真っ向から対立していて、家庭環境はギッスギスだったんだよね。

ちなみに、お母さんの意見が翻《ひるがえ》ったのは、私が引き籠もって一年ぐらい経《た》った時のことだったかな？　ニュースで近場の学校の生徒がイジメを苦にして自殺したニュースが流れて、それで私にもそういう危険性があったんだって気付いたみたい。

それで反省したっぽくて、十数年が経《た》った今でも私に悪いことを言ったと思って引け目を感じているみたいなんだよね。

で、時々妹を通して、私の生活を確認してるっぽいんだ。

別に、もう私は気にしてないとは言ってるんだけど、お母さんの方はそうもいかないみたいで、直接私に連絡をとってくることが驚くほどに少なかったりする。

まぁ、そういうわけで今回の妹からのメッセージもそれ関係なのかなぁ？　と思ったりもしてたんだけど……あ、返信がきた。

「『野菜がないんだけど？』……？」

明日、お好み焼き焼いて食べるよ、と返信しておこう。キャベツは胃腸にいいからね。

そして、その返信をしたらマッハで返ってきたんだけど。何？　アプリの向こうで待機でもしてるの？　暇すぎない？

『日にち跨《また》いでいたら意味ないでしょうが！』……？　長い人生で見たら大した時間じゃなくない？　そもそも、人の食事風景にケチつけるなら愛花《あいか》ちゃんはどうなのさ？」

自分の夕食を見せてから、人に文句言えと送っとこう。

そしたら、少し時間が経《た》ってからピロンと携帯に通知が届いた。私は口直しに梅酒を飲みながらも、携帯のコミュニケーションアプリに目を通す。

「………」

アプリにアップされていたのは、どこぞの一流レストランで赤ワインを片手に分厚いサーロインステーキを楽しむ愛花《あいか》ちゃんの姿が写っていた。

「当てつけか！」

というか、ばっちりと黒のドレスを着ておめかしをしてさぁ、私との差がありすぎるんですけど？

流石《さすが》は東証一部上場企業に勤める一流企業戦士とでもいうべき？

か～！　一流大学出てるエリート様は違いますね！　何？　私のような貧乏焼き肉で喜ぶような底辺絵師とは資本が違うって言いたいわけ！

うん。お母さんのことを、『私が苦手なんだ』って言ったけども、私は私で『愛花《あいか》ちゃんが苦手』だったりする。なんていうのかなぁ？　愛花《あいか》ちゃんは凄《すご》くできる子なんだよね。

私が引き籠もりの時なんか小学生なのに私を慰めてくれたり、勉強もスポーツも常に学校では成績トップで性格も良《い》いし、大学も一流のところに行って一流企業に勤めているし……。

とにかく、底辺絵師の私にとっては雲の上のような存在というか、愛花《あいか》ちゃんが向日葵《ひまわり》だとしたら、私は腐葉土レベルの存在でもの凄《すご》く気遅れするというか……。

まぁ、とにかくちょろっと苦手意識があったりするのだ。

そんな苦手意識があったからだろうね。どうしても、愛花《あいか》ちゃんから送られてきた写真を穿《うが》った目で見てしまって……そして、気付いてしまった。

「お肉美味《おい》しそうに食べる姿が写し出されているのは良《い》いんだけど……。これ誰に撮ってもらってるの？　彼氏？」

私がそこを指摘してみると、メッセージがピタリと止《や》んだ。

おい、図星かい！　我が妹よ！　こっちが出不精の喪女やっているっていうのに、あっちは彼氏と高級料理をご堪能《たんのう》ですか！　そうですか！

「あ～！　ちょっと羨ましい！　けど、羨ましくなんかないもんね！　焼き肉食べちゃお～っと！」

お酒の勢いでちょっと本音が漏れた。反省。

とりあえず、満足いくまで飲み食いしたところで、酔い覚ましがてらに携帯電話でネットを適当に見て回る。お、絵師サイトからの新着通知が来てる。何かな～っと。

「あ、お気に入り絵師さんが新作上げてる～。んん？　なんだろこれ？　なんのキャラ？」

私が食いついたのは、日本最大級といわれる絵師たちのコミュニティサイトにて、お気に入り絵師さんがアップした新作についてだ。

このコミュニティサイトでは、素人《しろうと》からプロまでもが自分で描いた絵をサイトにアップして、その作品を評価したり、絵師同士でコミュニケーションをとったりと色々できたりするのが人気のサイトである。

サイト側もそんな絵師の才能を発掘するためなのか、定期的に企業案件的なコンテストを開いてくれていたりするし、ここから商業絵師《プロ》になった絵師も大勢いたりするので、商業絵師《プロ》を目指す者にとっては登竜門的なコミュニティサイトになっているのではないだろうか？

かくいう私もこのサイトから商業絵師《プロ》になった一人である。

このサイトに載せている絵を確認してもらってお話をいただけたというパターンで、幾つか案件をいただいた感じなので、このサイトにはなかなか足を向けて眠れなかったりする。

まぁ、このサイトの運営会社がどこにあるのかは知らないけど……。

で、こういうサイトでは、やはり評価を沢山得た絵の方が人目につきやすかったりするので、その評価を得るための手法のひとつとして、人気のあるゲームや漫画のキャラを描くといったことが効果的なわけなんだけど……ここにひとつの問題が発生しているのである。

「おぉう。ランキングにもこのキャラ結構いるねぇ……。で、これ、何のキャラ？」

うん。流行《はや》ってるらしい流行《はや》りものが何なのか全くわかっていないというね。

いや、流行《はや》りものを端からカバーするのは難しいからね。私の知らないジャンルというのも色々とあったりするんだよ。で、今回のコレも私のアンテナに引っかからなかった奴《やつ》みたい。

「えーと、タグにはＬＩＡって書いてあるけど、ＬＩＡってなんだろ……？」

ネットで調べてみたところ、ＬＩＡは今度新しく発売が決定したゲームのことらしい。

テレビＣＭもバンバンやってるらしいけど、私見てないしな～、テレビ。

「ふぅん？　リアルを超えたリアル、新時代のＶＲＭＭＯＲＰＧ、新世界で新たな人生を歩もう？　そういう謳《うた》い文句《もんく》のＶＲＭＭＯＲＰＧはいっぱいあったけど、今までの奴《やつ》と大して変わらないんじゃないの？　なんで、みんなそこまで盛り上がっているのかな？」

とりあえず、流行《はや》りものに乗っとけ精神で、ＬＩＡの公式サイトにアクセスし、プロモーションムービーを確認し始めたわけだけど……。

「うぉぉぉ……。こいつは、やばい奴《やつ》だ……」

まず衝撃を受けたのは映像美。それこそ、ゲームの一場面だというのに映画のワンシーンさながらのクオリティ。そして、そんな世界に生きるＮＰＣもまるで本物の人間のように喋《しゃべ》り、動き、感情を見せている。まさに謳《うた》い文句《もんく》通りの別世界があるように感じられるレベルで完成度が凄《すさ》まじい！

今までのＶＲＭＭＯＲＰＧが時代遅れに見えてしまうほどのクオリティ。これは、話題作りとか以前にゲーマーとして一度は体験しておかないといけない奴《やつ》だ。

プロモーションムービーを見ただけで、私にもそれだけのことがわかるっていうのは、かなり凄《すご》いことだと思う。そして、そんなプロモーションムービーの中で私の目を釘付《くぎづ》けにしたのは……。

「愛花《あいか》ちゃんが食べているステーキよりも断然でっかいステーキ食べてる……！」

そう。ＬＩＡの世界ではリアル同様に食事をすることも可能で、匂いや味もきっちりと再現されているらしい。なにそれ、超素敵。

「この世界なら、お腹《なか》いっぱい美味《おい》しいものとか食べられそう！　凄《すご》いなぁ！」

別に私だって好き好んで貧乏生活をしているわけではない。

そりゃ、愛花《あいか》ちゃんみたいに分厚いステーキをお腹《なか》いっぱいに食べられるようなら食べたいよ？　けれど、私の薄給だとどうしてもねぇ。でも、ＬＩＡならそんなお金の心配をせずに満足いくまで美味《おい》しい物が食べられたりするんだと思う。これはまさに夢の国だね。しかも、太らないとか神か。

「幸い、ＶＲＭＭＯ用の専用ヘッドギアは購入済みだし……」

一応、海外製のＦＰＳとかをプレイする用に買った奴《やつ》だけど、対応機種として問題ないことは公式サイトにも記載されている。

これは、私に買えと運命が囁《ささや》いているのでは……？

「値段は……む、割と高い」

だけど、値段が高いのはそれだけ開発にお金かけていますよ、という裏返しでもある。

買うべきか、買わざるべきか、ちょっと悩む。

「これ買うなら、もう少し仕事受けないとダメだよね」

ありがたいことに、私には返事を待ってもらっている案件が幾つかある。

本当はちょっと作業量の関係で断ろうと思っていた仕事もあったんだけど、臨時収入が欲しくなっちゃったから、そうもいかないかな～。

こういう取捨選択ができるのが個人事業主の良《い》いところだよね～。まぁ、そのヌルい判断のせいでそこまで儲《もう》けが出ていないともいうけど。

「でも、本当にコレ必要かな？」

言っちゃうと、備え付けのゲーム機一台が買えるようなお値段。それを娯楽のためにポンと出せるかどうかというと……なんか理由付けが欲しい。

「えーと、リアルとほとんど変わらないような世界を冒険できるっていうのなら、風景の資料写真の収集とかに使えそうだよね。あとは、流行《はや》りのゲームをやることで、そのジャンルに対して造詣《ぞうけい》も深まるだろうし、普段の生活ではできないような贅沢《ぜいたく》な暮らしもできるってなったら――」

買わない理由があまりないね！　よし！　言い訳はできた！

「買おう！　でも、一人だけでやるのも寂しいから、愛花《あいか》ちゃんでも誘ってみようかな？」

昔、部屋に引き籠もっていた時は、愛花《あいか》ちゃんにゲームの対戦相手を頼んでたりもしていたので、愛花《あいか》ちゃんはゲームも得意だ。誘ってみれば案外と食いついてくれるかもしれない。

そして、ゲームで少し仲良くなって、愛花《あいか》ちゃんに対する苦手意識が少し減らせればいいなあとも思う。

とりあえず、お伺いで『愛花《あいか》ちゃん、LIAって知ってる？』ってメッセージを送ってみようっと。

『CMでやってる奴《やつ》でしょ？　もちろん、知ってるわよ』

今回も素早いレスポンスが返ってきた。これが女子力って奴《やつ》かな？

むしろ私が知らなかった方がレア度高いまであったりする？

でも、知っているなら都合がいいや。

私は、『良かったら一緒にLIAをやらない？』と誘ってみるんだけど……。

『ごめん。LIAは友達とやる予定だから、お姉ちゃんとはやれないかな』

つれない返事が返ってきた。

というか、今でも愛花《あいか》ちゃんが普通にゲームを続けていることがわかって、お姉ちゃんはちょっと感激してたりする。

でも、それとは別にちょっと気になっていることもある。

「その友達って、男？」

そうメッセージを送ったら、メッセージがパタリと止まった。

私は携帯電話をじーっと見つめた後で、相手に聞こえていないとわかっていながらも、思わず叫んでしまう。

「こらぁ、愛花《あいか》！　その男って絶対今レストランに一緒に行ってる彼氏でしょーが⁉　お姉ちゃんとの友情を破棄して、一人だけ幸せになろうなんてお姉ちゃん許しませんよー⁉」

そういったすったもんだがあり、私は愛花《あいか》ちゃんにＬＩＡで使用する予定のプレイヤー名の確認だとか、開始直後にオフラインになってフレンドコードを交換しようといった提案をできなかったことによって、後々後悔することになるのだが……。

それはまた少し先の話になるのであった——。

【第一巻・完】

【NEXT】
うっかり【魔神器創造】スキルを
手にしたヤマモト。
アイテム何でも作り放題ってこと⁉
ひゃっほう！
そんな中、LIAでは大型対戦イベント
「大武祭」が開催されることに。
まあ私は生産職だし
出店でもやろうかな……。
って、何やら泣いてる女の子がいる……？

◉ぽち著作リスト

「デスゲームに巻き込まれた山本さん、気ままにゲームバランスを崩壊させる」(電撃文庫)

本書に対するご意見、ご感想をお寄せください。

ファンレターあて先
〒 102-8177　東京都千代田区富士見 2-13-3
電撃文庫編集部
「ぽち先生」係
「久賀フーナ先生」係

本書は、2022年から2023年にカクヨムで実施された「第8回カクヨムWeb小説コンテスト」で大賞（エンタメ総合部門）を受賞した『デスゲームに巻き込まれた山本さん、気ままにゲームバランスを崩壊させる』を加筆・修正したものです。

電撃文庫

デスゲームに巻《ま》き込《こ》まれた山本《やまもと》さん、気《き》ままにゲームバランスを崩壊《ほうかい》させる

ぽち

2024年6月10日　初版発行
2024年12月10日　3版発行

発行者　山下直久
発行　株式会社KADOKAWA
〒102-8177　東京都千代田区富士見2-13-3
0570-002-301（ナビダイヤル）
装丁者　荻窪裕司（META＋MANIERA）
印刷　株式会社KADOKAWA
製本　株式会社KADOKAWA

●お問い合わせ
https://www.kadokawa.co.jp/（「お問い合わせ」へお進みください）
※内容によっては、お答えできない場合があります。
※サポートは日本国内のみとさせていただきます。
※ Japanese text only

※定価はカバーに表示してあります。

ISBN978-4-04-915705-5　C0193　Printed in Japan

電撃文庫　https://dengekibunko.jp/